プロローグ
発音・英会話について

株式会社スギーズ英語発音教育研究所 代表取締役の杉本正宣です。

私は東京の築地で英語の発音を教える教室を運営しております。

あなたは英会話でこんな経験をしたことがありませんか？

・英語を話したのに相手に通じなかった

・ネイティブの話すスピードが速すぎて英語が聞き取れない

・英語を勉強しているけれど全然上達が実感できない

英語を身につけたいのに上記のような課題がなかなか解決できない方が多いようです。

長期間英語を勉強したにもかかわらずなかなか成果が上がらないので、英語を学ぶことが苦痛になってしまう方も多いようです。

今回、本書ではこの、

・英語が通じない

・英語が聞き取れない

・英語の上達が実感できない

という悩みを誰でも解決できる方法をご紹介したいと思います。

JN105408

◆ どうして日本人は英語が通じなかったり、
   聞き取れなかったりするのか？

なぜ多くの日本人は英語を中学、高校、大学まで勉強したのに、英語が通じなかったり、聞き取れなかったりする方が多いのでしょうか？

答えは、英語をインプットする際に、**間違った音で覚えてしまっている**からです。

例えば、apple は日本語発音だと「アップル」になると思いますが、実際は「エァーポ」のような発音になります。

文字だけだとわかりにくいので、実際の発音は後でCDを聞いてみて欲しいのですが、apple のような簡単な単語でも、日本語のカタカナ発音と実際の正しい英語の発音は全く違う発音になります。

さきほど、日本人は英語を長期間勉強しているのに英語の上達が実感できない方が多いと言いましたが、それは英語を間違った日本語のカタカナ発音でインプットしているためなのです。

発音を間違って覚えているので、話しても通じないし、聞いても聞き取れないという悪循環に陥ってしまっているのです。

アジアでも日本人の英語力は低いと言われていますが、それは日本人が英語を勉強する期間が短いからでも、日本人の能力が低いからでもなく、間違った音で英語を覚えてしまっているからなのです。

つまり、日本人が効率よく英語を身につけるためには、「実際に海外でネイティブが話している正しい英語の発音」で英語をインプットすればよいのです。

◆ 正しい英語の発音で音読するためのたったひとつのコツ

「正しい発音で英語を身につけるといっても、英語の発音って難しくないですか？」

と思われる方も多いと思います。

確かに「l」や「r」など日本語にない音の発音は難しいというイメージがあり、正しい英語の発音というのはハードルが高いと感じられるかもしれません。

しかし、正しく英語を発音するためのちょっとしたコツがあり、そのコツを押さえれば、英語が苦手な方や英語初心者の方でもネイティブのように上手な発音ができるようになります。

例えば、私の発音教室に通っているある商社勤務の男性は、英語の会議で何度も英語が通じないことがあって自信を無くしていましたが、私の教室に通い始めて1週間で英語を聞き返されることが無くなったそうです。

また、私の発音教室に通ってこられた71歳の女性はそれまで全く英語が聞き取れなかったのに、わずか3週間のトレーニングでCNNのニュースの一部分が完全に聞き取れるようになったとおっしゃっていました。

このように短期間で英語のスピーキングやリスニングが劇的に改善した例は他にもたくさんあります。つまり、ちょっとした発音のコツをつかむと、性別や年齢や能力に関係なく、短期間で英語が通じたり聞き取れるようになったりするのです。

ですから、

・英語が通じない、聞き取れないとお悩みの方

・今まで色々な方法で英語を勉強したけれど、上達が実感できなかった方

・自分には英語の才能がないとあきらめていた方

・英語を効率よく身につけたい方

は是非本書の方法を実践してみてください。きっと今まで体験できなかった英語の上達を実感していただくことができると思います。

本書の使い方

　本書ではまずChapter 1で日本語と英語の発音の違いについて解説し、実際どのように発音すれば英語初心者でもネイティブのようにきれいな英語の発音ができるようになるのかを詳しく解説しています。

　ですから、単にCDを聞くだけでなく、発音のコツを意識しながらCDの音声の後について、実際に口を動かして発音してみてください。

　また鏡で自分の口元を見て、イラストのように実際に正しい口の形にできているかを確認しながら練習するのも効果的です。

　そして、何度か発音練習をしたら自分の発音した音声を録音してみて、CDと聞き比べるのも有効な練習方法です。

　Chapter 1で発音の基礎を身につけたら、Chapter 2以降では実際に英語のフレーズを正しい発音で音読してください。

　その際に英文の下に書いてあるルビ（カタカナ）を参考にすると音読しやすいでしょう（ルビは「ノーマルスピード」に合わせています）。

　繰り返し音読練習をしていると、英語のリズムがわかってきて、ペラペラと流暢に英語が音読できるようになります。

　英語がスラスラと音読できるようになるころには、ネイティブが話す速いスピードの英語も非常に聞き取りやすくなっているはずです。

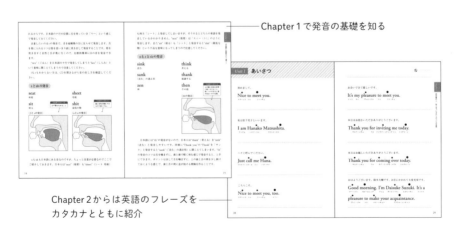

Chapter 1で発音の基礎を知る

Chapter 2からは英語のフレーズをカタカナとともに紹介

ゆっくり
ていねいな
CD付

60歳からの
カタカナでもネイティブに
いちばん通じる英会話
もくじ

Chapter 1　日本語と英語はどう違う？　　◎Vol.1_01

コラム　生徒さんとのエピソード① ———————————————— 26

Chapter 2　初対面の人・知り合ったばかりの人との会話

Chapter 3 海外の友人や家族との会話

Chapter 4 友人との会話

Chapter 5　職場での会話

🔷コラム🔷　生徒さんとのエピソード② ────── 124

Chapter 6　旅行先での会話

🔷コラム🔷　生徒さんとのエピソード③ ────── 159

※本書は一般の方でもわかるように、言語学で発音記号に使われる // などは省略し掲載しています。

本書の音声CDについて

　本書の前と後ろに各1枚付属している2枚のCDには、Chapter 1の私の英語発音講座とChapter 2から6まで収録の英文フレーズについて、ネイティブスピーカーが読み上げた音声を収録しています。

　英文フレーズの音声の種類は「スロースピード」と「ノーマルスピード」の2種類です。

「スロースピード」は各フレーズをゆっくりと、強調すべきところにアクセントを置いて読んだ、特別な音声です。「ノーマルスピード」はネイティブスピーカーが自然に話す速度で収録しています。

　音声CDはパソコン、音楽プレーヤーなどで再生することができます。

　各トラックには本書の各シチュエーションを表すUnitごとに「スロースピード」の音声と「ノーマルスピード」の音声が収録されています（例：Chapter 2　Unit 1あいさつ）。

　CDに合わせてスロー音声とノーマル音声を交互に読むことで、ゆっくりのスピードで身につく「きれいな英語」を少しずつノーマルスピードへ移行することができます。

CD収録内容
◆ VOL.1　Chapter 1〜Chapter 3（本書前に添付）
　（黄緑色）

◆ VOL.2　Chapter 4〜Chapter 6（本書後ろに添付）
　（深緑色）

Chapter 1

日本語と英語は
どう違う？

日本語と英語の発音では主に2つの大きな違いがあります。

1. 日本語と英語のリズムの違い
2. 日本語にない20個の英語の音

この2つの違いかわからずに英語を間違った音でインプットすると、英語が通じなかったり聞き取れなかったりします。

1. 日本語と英語のリズムの違い　　　◎ Vol.1_01

この日本語と英語のリズムの違いを理解することが、実は英語をスラスラ話したり速いスピードの英語を聞き取ったりするために最も重要なことです。

今から説明することはおそらく今まで聞いたことがないと思うので、最初は理解しにくいかもしれませんが、私がCDで解説していますので、以下の文章を読みながらCDの方を聞いてみてください。

このリズムの違いを理解して英語のリズムで音読すると、今まで通じなかった英語が急に通じるようになり、また英語が速くて聞き取れなかった方も聞き取れるようになります。

なぜそのように劇的に変化するかというと、今まで英語が通じなかった、スラスラと話せなかった、聞き取れなかったというのが、この日本語と英語のリズムを作り出す頭の中の構造の違いから生み出されていたからです。

つまり日本語のリズムで英語を話して聞くのではなく、英語のリズムで英語を話して聞くようになるので、英語の音がそのままわかるようになるのです。

　例えば、ファーストフードのマクドナルドを知っていますよね？　あれを「マクドナルド」と発音すると十中八九ネイティブには通じません。

　ではどのようにして発音すると通じるのでしょうか？

日本語発音だと

●	●	●	●	●	●
「マ」	「ク」	「ド」	「ナ」	「ル」	「ド」
(ma)	(ku)	(do)	(na)	(ru)	(do)
↔	↔	↔	↔	↔	↔

のようにカタカナ一つずつを同じ長さで発音します。

　一方英語は音の強弱がはっきりしていて、アクセントを置く箇所を強く（長く、音の高低差を付けて）発音します。

マクダアーノォズ

アクセントがある“o”の箇所（グレーの箇所）を強く（音を長く、高低差を付けて）発音し、それ以外の部分（黒線の箇所）を弱く（音を短く、くちを動かさずに）発音します。

　この強く発音することを「叩く」と言っています。

「叩く」箇所以外は弱く発音すると言いましたが、「叩く」直前の音（McDonald'sの場合“o”を叩くのでその直前の“D”の音）は叩きの勢いの影響を受けて強めに発音されます。

　本書の中で「叩いて発音してください」と言ったら音を強く（長く、高低差を付けて）発音するのだと思ってください。

　そして、「叩く」直前の音も強めに発音されるのだということも覚えておいてください。

　このように発音するとネイティブのように非常にきれいな発音になるので、是非実践してみてください。

　言葉で説明してもわかりにくいと思うので、実際に日本語にない20個の音の出し方を学びながら、叩きの感覚を身につけていきましょう。

2. 日本語にない20個の英語の音 ◎ Vol.1_01

　英語には日本語にない音が20個あります。一般的なところではlやrの発音、もしくはthの発音などが有名だと思います。日本語には「あいうえお」の母音は5つしかないのですが、英語には基本的な母音だけで12個以上あります（子音：l、r、f、v、無声音のth、有声音のth、母音：iː、ɪ、eɪ、ɛ、æ、ɑ、ʌ、ɝ、oʊ、ɔ、uː、ʊ、ɚ、aɚ）。

　本書ではそれらの音の出し方を、初心者の方でも簡単に発音できる方法をご紹介します。ここでは日本語にない音の出し方を学んでいきますが、さきほど述べました「叩いて発音する」事を意識して練習してみてください。

◆ 日本語にない英語の音の出し方（母音編）

iː と ɪ

heat
熱

〔iːの発音〕

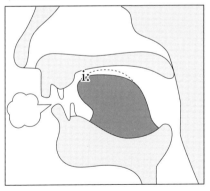

hit
打つ

〔ɪの発音〕

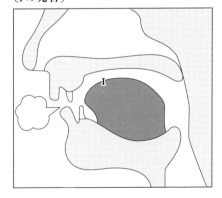

　日本人はheatを「ヒート」、hitは「ヒット」と「イ」を延ばしたり、短くしたりして発音の違いを出しますが、heatのiːは唇を横一文字に広げ

て「イー」と発音します。一方hitのɪは口の周りの筋肉を緩めて、ちょっと唇を丸めて発音します。

εとeɪ

met
meet（会う）の過去形

〔εの発音〕

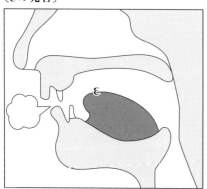

mate
友達

〔eɪの発音〕

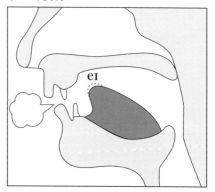

　εは日本語の「エ」より少し口を開いて発音します。eɪは日本語の「エ」の後に軽くɪを付け足して発音します。日本人はmetは「メット」、mateは「メート」と「エ」の長さを変えて発音の違いを出しますが、実際はmetは「メエート」、mateは「メエーィト」のように発音します。mateの方は「エー」の後に小さい「ィ」が入ります。

αとæの発音

mop
モップ

〔αの発音〕

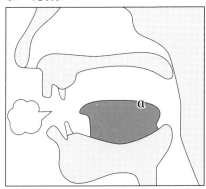

map
地図

〔æの発音〕

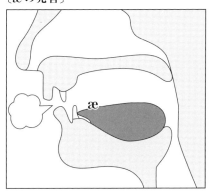

　"map"（地図）をカタカナ英語で「マップ」と発音すると、"mop"（モップ）と聞き取られてしまいます。実際私の生徒さんも地図が欲しいのにモップを持ってこられて、「これで掃除でもするのか？」と真顔で聞かれたと言っていました（笑）。αは日本語の「ア」より大げさに顎を下げましょう。map〔æ〕は口を横一文字に開いて「イー」と言って、口を横に開いたまま顎を下げましょう。音の出し方がわからないと難しく感じるかもしれませんが、何度か練習すると音の違いがわかってくるので、CDを聞きながら練習してみてください。

5つの「α」の発音

α	æ	ʌ	aɚ	ɝ
hot	**hat**	**hut**	**heart**	**hurt**
暑い	帽子	小屋	ハート	傷つける

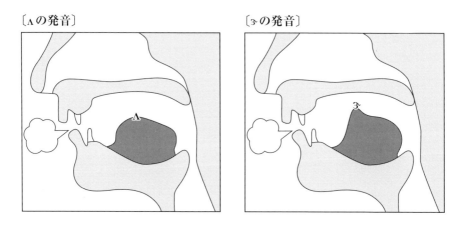

〔ʌの発音〕　　　　　　　　　〔ɝの発音〕

　mopと同じくhot〔α〕は日本語の「ア」より大げさに顎を下げましょう。hat〔æ〕はmapと同じく横一文字に開いて「イー」と言って、口を横に開いたまま顎を下げ、かなり口を開きます。hut〔ʌ〕は逆に顎を下げずに、唇の両端を前に出す感じで発音しましょう。heart〔aɚ〕は〔α〕（二重母音）を言った後に舌先を上に移動させてrの音を出します。hurt〔ɝ〕は唇の両端を前に突き出して、舌を裏返して奥に持っていきます。

aɪ と aʊ

buy
買う
〔aɪ の発音〕

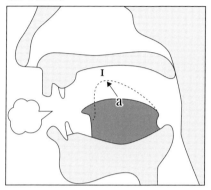

bow
お辞儀をする
〔aʊ の発音〕

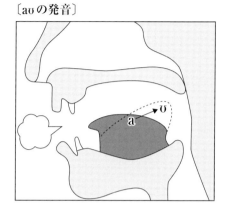

aɪ は a でしっかり顎を下げて叩いて発音し、その後に ɪ を少し付け足す感じで発音します。aʊ も同様に a でしっかり顎を下げて叩いて発音し、その後に ʊ を少し付け足して発音します。

oʊ と ɔ

boat
ボート
〔oʊ の発音〕

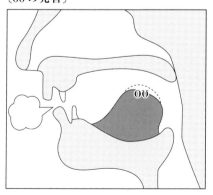

bought
buy（買う）の過去形
〔ɔ の発音〕

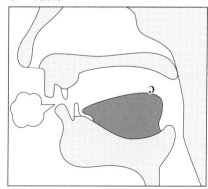

17

この2つの単語も発音し分けない方が多いですが、boat〔boʊt〕は「ボート」ではなくどちらかというと「ボオーゥト」のようの「オーゥ」と発音します。〔ɔ〕は日本語で「オー！　素晴らしい！」と感嘆する時に発音する感じ、つまり口の奥を開いて発音します。

u: と ʊ

Luke
ルーク（人名）

〔u: の発音〕

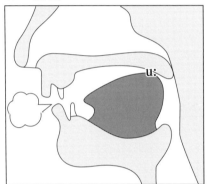

look
見る

〔ʊ の発音〕

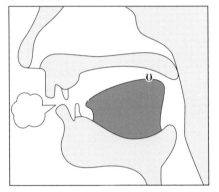

　この音も日本人はLukeは「ルーク」、lookは「ルック」と「ウ」の長さを変えて発音の違いを出しますが、Lukeのu:は唇を思いきり前に突き出して「ウー」と発音します。一方lookのʊは口の周りの筋肉を緩めて、ちょっと唇を丸めて発音します。

wとjの発音

when
いつ
〔wの発音〕

would
でしょう

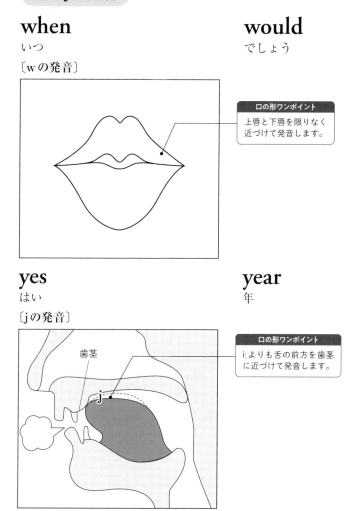

口の形ワンポイント
上唇と下唇を限りなく
近づけて発音します。

yes
はい
〔jの発音〕

year
年

歯茎

j

口の形ワンポイント
i:よりも舌の前方を歯茎
に近づけて発音します。

　w、jは半母音と呼ばれ、母音に近い音です。

　wの音は唇と唇を凄く近づけて「ウー」と発音します。一方jの音は日本語の「ヤユヨ」に含まれる音で、舌先を上の歯の付け根辺りに凄く近づけて発音します。文章だけではわかりにくいと思うので、CDと絵の口の形を参考に練習してみてください。

lとrの発音

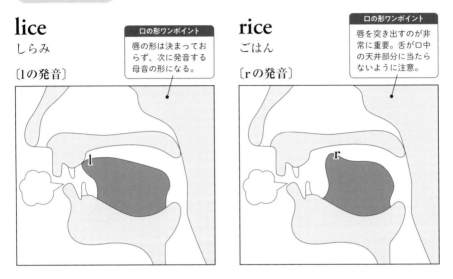

lice
しらみ

〔lの発音〕

口の形ワンポイント

唇の形は決まっておらず、次に発音する母音の形になる。

rice
ごはん

〔rの発音〕

口の形ワンポイント

唇を突き出すのが非常に重要。舌が口中の天井部分に当たらないように注意。

　日本人にとってlとrの発音は難しいという風に思われていますが、lの発音は実はそんなに難しくありません。なぜなら、lの音は日本語の「なにぬねの」（na ni nu ne no）のnの音を発音するのと同じ箇所で発音されるからです。日本語のナ行の位置に舌を持っていき「ウー」という感じで発音してみてください。

　注意したいのはrの発音で、日本語の「らりるれろ」（ra ri ru re ro）のrの音を発音するときより、さらに舌を奥の方に反らせるようにして発音します。舌を奥に入れるコツは唇を思いきり前に突き出して発音することです。唇を突き出すと自然と舌が奥に行くので、比較的簡単にrの音を発音できます。"rice"（ごはん）を日本語のラ行で発音してしまうと"lice"（しらみ）と聞こえてしまうので注意してください。lもrもわからない方は、CDを聞きながら音の出し方を確認してください。

sとshの発音

seat
座席

sheet
用紙

sit
座る

shit
最低の物

〔ʃの発音〕

〔sとzの発音〕

口の形ワンポイント
必ず唇を丸めること。

口の形ワンポイント
歯と舌先の間をできるだけ狭くする。

ʃ

s z

　sもshも日本語にある音なのですが、ちょっと注意が必要なのでここでご紹介しておきます。日本人は"seat"（座席）も"sheet"（シート　用紙）も両方「シート」と発音してしまいますが、そうするとどちらの単語を発音しているかわかりません。"seat"（座席）は「スィー（ト）」のように発音します。また"sit"（座る）も「シット」と発音すると"shit"（最低の物）という下品な意味になってしまうので注意してください。

sとzとthの発音

sink
沈む

think
考える

sank
sink（沈む）の過去形

thank
感謝する

zen
禅

then
その後

〔thの発音〕

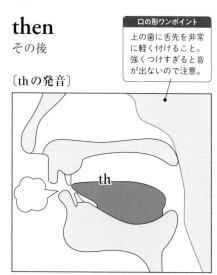

　日本語にはthの発音がないので、日本人は"think"（考える）を"sink"（沈む）と発音しやすいです。同様に"Thank you"の"Thank"を「サンク」と発音すると"sank"（「沈む」の過去形）に聞こえてしまいます。thの発音のコツは舌を噛まずに、歯と歯で軽く挟む感じで発音すると、上手にできます。ポイントは決して舌を噛まずに、上の歯と舌の間を少し開けておくような感じで、歯と舌の間に息が抜ける間隔を作ることです。

f、vとp、bの発音

fine
元気な

pine
マツ

vest
チョッキ

口の形ワンポイント
th同様上の歯に唇の内側を非常に軽くつけること。

best
最もよい

〔fとvの発音〕

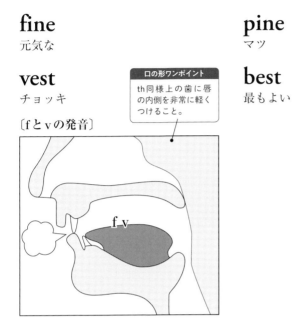

　カタカナ英語の発音だとこの2つの発音を分けない人がほとんどだと思います。ポイントはf、vを発音する時には唇を強く噛まず少し長めに発音することです。p、bは日本語にもあるので図は割愛しますが、唇と唇を合わせて強く破裂させるようにして発音します。

◆ **長い単語の練習** ···

　ちょっと長い単語になると、例えばbanana（バナナ）は「バナェアー ナ」のように叩く位置が真ん中に来たり、provide（供給する）は「プ ラァヴァーィド」のように後ろに来たりする場合があります。

　長い単語になると叩かない箇所が出てきますが、そこはほとんど口を動 かさずに、力を抜いて発音します（弱く発音する）。

●(小) **●(大)**
bana**na** **prov**i**de**
バナェアーナ　　　プラァヴァーィド

● カタカナのグレーの太字（黒丸が上に付いている）は叩く
　＝口を動かして音を長く高低差をつける（強く発音する）

● カタカナの細い黒字は叩かない
　＝口を動かさずに、音は短く高低差も付けずに発音する（弱く発音 する）

"banana"の最初の"a"と"provide"の"i"以外は口をダラーっと緩めて、 口を動かさずに音を短く発音します。

　この「弱く発音する」（叩かない）がとても重要で、「叩く」と「叩かな い」の組み合わせで発音できると非常に相手にわかりやすいきれいな発音 ができるようになります。

　CDを聞きながら繰り返し練習してみてください。

　本書では英語初心者の人でも簡単に正しい発音で英語が音読できるよう スローとノーマルのスピードの音声を作り、難しい発音記号などは使わず 正しい発音に近いルビをふってあります。

　ルビのグレーの部分は叩く箇所なので、音を長く、前の音よりも高く発 音してください。

　また、叩く箇所には2種類の黒丸がついていて、黒丸の大きい所をより 強く叩いてください。

お会いできてよかったです。

It was nice meeting you.

●(小)　●(大)

イッ(ト)　ワズ　　ナアーィス　　　ミィーリングュ

　上記の例の（ト）のように括弧(かっこ)になっている音は、実際に音を出さずに
ちょっと溜めを作るような感じで、ほんの少しだけ間をおいて発音するよ
うにしてください。

　　例：**went to**「ウェーン（ト）トゥ」

の（ト）の部分は音は出さないけれど、ほんの一瞬だけ無音の間を取る
ようにして発音して下さい。

　わかりにくいと思うので、CDを聞いて発音の仕方を確認してくださ
い。最初はスローの音声を聞きながら、ルビを見て音読練習をしてくださ
い。英語の発音のリズムに慣れてきたらノーマルスピードの音声で練習し
てみてください。

　ちょっと注意していただきたいのが、カタカナのルビは実際の発音に近
いルビをふっていますが、日本語ルビではどうしても正確に表せない発音
もあります。

　例えば、

nothing
●

ナアースィン

は日本語では「ス」と書いていますが、実際はthの音なので、その場
合はthの音の出し方を参照して発音練習をしてください。

コラム 生徒さんとのエピソード①

　私はこれまで色々な生徒さんに教えてきました。小学3年生のお子さんから70代の女性まで様々な年代の人に発音を教えてきました。

　その経験から特に知って欲しいと思うようになったのは、正しいやり方で練習すると年齢に関係なく英語を身につけることができる、ということです。

　特に発音に関しては本書で説明しているように、まずはゆっくり、その後に通常のスピードでフレーズを音読すると相手に非常に伝わりやすい英語になり、またリスニング力も飛躍的にアップします。

　特に印象的だった生徒さんの話をしたいと思います。

　一人目は当時71歳の女性Aさん。その方は冬になると寒いのが苦手なので、日本が冬の時期はオーストラリアに移住されています。オーストラリアに行くと英語を話す必要があるのですが、話しても英語が通じず、何よりも英語が全然聞き取れないということで、困っていたそうです。その話をAさんがお友達に相談したところ、CNNを1日1時間聞くとよいとアドバイスをもらったそうです。しかしCNNを聞き始めて毎回10分もすると聞き取れないためか、眠くなってしまったそうです。

　そんな時にAさんは私の発音教室を見つけて通い始めたのです。発音レッスンを始めて3週間ぐらいするとAさんが非常に嬉しそうな顔をして教室にいらっしゃいました。「何かいいことがあったんですか」とお聞きしたところ、今まではCNNを聞いていても全く聞き取れなかったのに、ある部分がほぼ完全に聞き取れたとおっしゃっていました。具体的にはテニス選手のインタビューと天気予報の部分が聞き取れたのだそうです。今まで何をやっても聞き取れなかった英語が急に聞き取れるようになり、本人も非常に驚いていました。

　このように短期間でも正しい方法で練習することで、リスニング力を飛躍的にアップさせることができるのです。

　本書ではこのように英語が非常に苦手な人でも短期間で英語が通じるようになったり、聞き取れるようになったりするためのエッセンスをお伝えしたいと思います。

Chapter 2

初対面の人・
知り合ったばかりの人
との会話

初めまして。

Nice to meet you.
ナアーィス　トゥ　　ミイー（ト）ユゥ

私は松下花子といいます。

I am Hanako Matsushita.
アィアム　　ハアーナコゥ　　マツウーシタァ

ハナと呼んでください。

Just call me Hana.
ジャス（ト）コオーォ　ミィ　ハアーナァ

こちらこそ。

Nice to meet you, too.
ナアーィス　トゥ　　ミイー（ト）ユゥ　　トゥー

お会いできて嬉しいです。

It's my pleasure to meet you.
イッツ　マィ　　プレエージャ　トゥ　ミィー(ト)ユウ

本日はお招きいただきありがとうございます。

Thank you for inviting me today.
サエアーンキュ　　フォ　インヴァーリティング ミィ　トゥデエーィ

本日はお越しいただきありがとうございます。

Thank you for coming over today.
サエアーンキュ　　フォ　　カアーミングオーゥヴァ　　トゥデエーィ

おはようございます。鈴木大輔です。お目にかかれて大変光栄です。

Good morning. I'm Daisuke Suzuki. It's a
グゥー(ド)　モオーォニング　アィム　ダアーイスケィ　スズウーキィ　イッツァ

pleasure to make your acquaintance.
プレエージャ　トゥ　メエーィキュア　　アクウエーィンタンツ

こんにちは。この場所はすぐにわかりましたか？

Hi. Did you find this place easily?
ハアーィ　　　ディデュ　　フアーィン(ド)　ディス　プレエーィス　イーズリィ

初めまして。フライトはいかがでしたか？

It's nice to meet you. How was your flight?
イッツ　ナアーィス　トゥ　　ミイー(ト)ユウ　　ハアーゥ　　　ワジョァ　　フラアーィ(ト)

初めまして。こちらは初めてですか？

It's nice to meet you. Is this your first time
イッツ　ナアーィス　トゥ　　ミイー(ト)ユウ　　イズ　ディス　　ユァ　　フアース(ト)　タアーィム

here?
ヒイーァ

初めて来ました。

It's my first time here.
イッツ　　マィ　フアース(ト)　タアーィム　ヒイーァ

何度か来たことがあります。

I've been here a couple of times.
アィヴ　　ビーン　　ヒァ　ァ　　カアープラヴ　　タアーィムズ

こんにちは、遅れてごめんなさい。

Hi, I'm so sorry I'm late!

ハアーィ　アィム　ゾォーゥ　サアーリィ　アィム　レエーィト

調子はいかがですか？

How are you doing?

ハアーゥ　アァ　ユ　ドゥーィング

今日、お昼ごはんを食べに行く時間はありますか？

Are you free to have lunch today?

アァ　ユ　フリイー　トゥ　ヘアーヴ　ラアーンチ　トゥデエーィ

お会いできてよかったです。

It was nice meeting you.

イッ(ト)　ワズ　ナアーィス　ミイーリングュ

私もお会いできてよかったです。連絡を取り続けましょうね。

You, too. Let's keep in touch.
ユウー　　トゥー　　レエーッツ　　キイーピン　　タアーチ

あなたの上司によろしくお伝えください。お会いできてよかったです。

Please give my best regards to your boss.
プリイーズ　ギイーヴ　マィ　ベエース(ト)　リガアーヅ　トゥ　ユァ　バアース

It was nice meeting you.
イッ(ト)　ワズ　ナアーィス　ミイーリングュ

ノリ子さんによろしくお伝えください。

Please say hello to Noriko.
プリイーズ　セエーィ　ヘロオーゥ　トゥ　ノオーリィコゥ

また会いましょう。気をつけてね。

See you later. Take care.
スイー　　　ュ　レエーィラ　テエーィ(ク) ケエーァ

また会えてよかったです。

It was good seeing you again.
イッ(ト)ワズ　グウー(ド)　　スイーィングュ　　アゲーン

ワンポイント解説

似た表現ですが "Nice to meet you." は初めて出会った時、"It was nice meeting you." "Nice meeting you." は別れ際に使う表現です。"Nice meeting you."（お会いできてよかったです。）と言われたら、"You, too."（私も**あなたに**お会いできてよかったです。）と答えます。この "You, too." は "Nice meeting you, too." の省略形です。"Me, too." と答えたくなるところですが、そうすると "Nice meeting me, too."（私も**私に**会えてよかったです。）という変な意味になってしまうので注意が必要です。

"It was good seeing you again." は、すでに知り合っている人との別れのあいさつです。

今日は晴れています。

It's sunny today.
イッツ　サアーニィ　トゥデエーィ

今日は風が強いね。

It's windy today.
イッツ　ウイーンディ　トゥデエーィ

雨が降りそうですね。

It looks like it's going to rain.
イッ(ト)ルウークス　ライク　イッツ　ゴオーウイング　トゥ　レエーィン

昨日は快晴でした。

We had a clear day yesterday.
ウィ　ヘアーダ　クリイーァ　デエーィ　イエースタデエーィ

最近ずいぶん寒くなりました。

It has become very cold recently.
イラズ　　　　ビカアーム　　　ヴエーリィ　コオーゥ(ド)リイーセン(ト)リィ

天気予報によると、明日はくもりみたいです。

The weather forecast says that it will be
ダ　　　　ウエーダァ　　フオーオケアース(ト)　セエーズ　ダッ(ト)　イッ(ト)ウィョ　　ビィ

cloudy tomorrow.
クラアーゥディ　　　トゥマアーロゥ

雨が降りそうなので、傘を持って行った方がいいと思います。

It's going to rain, so you'd better bring an
イッツ　ゴオーウイング　トゥ　レエーィン　　ソゥ　　ユ(ド)　　　ベエーラァ　　　ブリイーンガン

umbrella.
アムブレエーラァ

出発した時、東京の天気はいかがでしたか？

How was the weather in Tokyo when you
ハアーゥ　　ワズ　　ダ　　ウエーダァ　　ィン　トオーゥキョウ　　ウエーン　　ユ

left?
レエーフ(ト)

とてもいい天気ですね。

It's a very nice day.
イッツァ　　ヴエーリィ　ナアーィス　デエーィ

35

こんな日はピクニックに行きたいですね。

I would love to go for a picnic on a day like
アィ　ウ（ド）　ラアーヴ　トゥ　ゴオーゥ　フォア　ピィー(ク)ニッ(ク)　オンナ　デエーィ　ラィク

this.
ディース

もう衣替えの季節ですね。

It's already the season to change clothes.
イッツ　オォレエーディ　ダ　スィーズン　トゥ　チエーィンジ　クロオーゥズ

空気が乾燥して、手荒れがひどくなりました。

My hands are very rough because of the dry
マィ　ヘアーンヅァ　ヴエーリィ　ラアーフ　ビコオーズァヴダ　ジュラアーィ

air.
エーァ

寒くて、ベッドから出るのが嫌です。

It's cold and I don't want to get out of bed.
イッツ　コオーゥドアン　アィ　ドン(ト)　ワアーン(ト)　トゥ　ゲラアーゥラヴ　ベエー(ド)

いよいよ春めいてきましたね。

It's finally starting to feel like spring.

イッツ　フアーィナリィ　スタアーァリング　トゥ　フイーライ（ク）　スプリイーング

暖かい風が気持ちいいです。

The warm breeze feels good.

ダ　ウオーォム　ブリイーズ　フイーョズ　グウー（ド）

やっと天気がよくなりました。

The weather has finally gotten better.

ダ　ウエーダァ　ハズ　フアーィナリィ　ガアー（ト）ン　ベエーラァ

今日は外で洗濯物を干すことができます。

I can hang my laundry outside today.

ァィ　キャン　ヘアーング　マィ　ロオーンジュリィ　アーゥ（ト）サアーィ（ド）　トゥデエーィ

春になると、この公園の桜の花が見事です。

In spring, the cherry blossoms are beautiful

イン　スプリイーング　ダ　チエーリィ　ブラアーサムズァ　ピュウーリフォ

in this park.

イン　ディス　パアーァ（ク）

とても暑いので、熱中症対策のためにこまめに水分を補給しましょう。

It's very hot, so be sure to hydrate often to

イッツ　ヴエーリィ　ハアー(ト)　ソウ　ビィ　シュウーァ　トゥ　ハアーィジュレイ(ト)　アーフン　トゥ

prevent heatstroke.

プリヴエーン(ト)　ヒイー(ト)スチュロオーゥ(ク)

こんな暑い日には、冷たいビールが何よりです。

On such a hot day, there is nothing better

アン　　サアーチャ　ハアーッ(ト)　デエーィ　　ディイズ　　ナアースィン　　ベエーラ

than cold beer.

ダン　　コオーゥゥ(ド)　ビイーァ

こんな蒸し暑い日にエアコンが壊れるなんて！

I can't believe our air conditioner broke on

フィ　ケアーン(ト)　ビリイーヴ　　アゥァ　エーァ　　カンデイーシャナァ　　ブロオーゥカン

such a hot and humid day!

サアーッチャ　　ハアーラン　　ヒュウーミ(ド)　デエーィ

天気の話題は初対面の人との会話のきっかけになったり、知り合いと更に仲良くなれるので、覚えておくと良いでしょう。"tomorrow" "umbrella" "already" 等の単語は強く発音する箇所を間違えないようにCDを聞きながら練習してみてください。

すみませんが、今何時でしょうか？

Excuse me, do you know what time it is?

イクキュウーズ　ミィ　ドゥユ　ノオーゥ　ワァ(ト)　タアーィム　イリイズ

まもなく午後2時です。

It's almost 2 p.m.

イッツ　オーォモゥス(ト)　トゥー　ピィー　エーム

すみませんが、今何時ですか？

Excuse me, do you have the time?

イクキュウーズ　ミィ　ドゥユ　ヘアーヴ　ダ　タアーィム

10時15分です。

It's quarter past ten.

イッツ　クウオーラァ　ペアース(ト)　テエーン

今、お時間ありますか？

Can you spare a few minutes right now?
キャニュ　　スペエーァ　ァ　フィユー　ミイーニィッツ　ラアーィ（ト）ナアーォ

すみません。今手が離せません。

I'm sorry, I'm tied up right now.
アィム　サアーリィ　　アィム　タアーィラアー（ブ）ラアーィ（ト）ナアーォ

次のバスは何時に来ますか？

What time does the next bus come?
ワアー（ト）タアーィム　　ダズ　　ダ　ネエークス（ト）バアース　カアーム

9時45分に来ます。

It comes at nine forty-five.
イ（ト）　カアームズァ（ト）　ナアーィン　フオーリィ　フアーィヴ

遅いわね。午後6時に会う約束だったのに。

You're late. We were supposed to meet at 6
ユア　　レエーィ（ト）　ウィ　　ワァ　サポオーゥズ（ド）　トゥ　ミイーラ（ト）スィークス

p.m.
ピイー　エーム

40

今何時だと思っているのですか？

What time do you think it is?

ワアー（ト）　タアーィム　　ドゥユ　　　スィーンキリィズ

ごめんなさい。

I'm sorry.

アィム　　サアーリィ

約束の時間を間違えました。

I mistook the time of our appointment.

アィ　ミストウー（ク）　　ダ　　タアーィマヴァァ　　　アポオーィン（ト）メント

明日午前10時にそちらに伺ってよろしいでしょうか？

May I come to see you tomorrow at 10 a.m.?

メエーィ　アィ　カアーム　トゥ　　スィーュ　　　トゥマアーロゥ　　ァ（ト）テエーン　イーィ　エーム

歯医者の予約をしたいのですが。

I'd like to make an appointment with the

アィ(ド) ラアーィ(ク) トゥ　メエーィカン　アポオーィン(ト)メント　ウィダ

dentist.

デエーンティス(ト)

明日の午後2時はいかがですか？

How about tomorrow afternoon at 2 p.m.?

ハアーゥ　アバゥ(ト)　トゥマアーロゥ　エアーフタヌウーンァ(ト)　トゥー　ピィー　エーム

次の診察の予約を確認したいのですが。

I'd like to confirm my next doctor's

アィ(ド) ラアーィ(ク) トゥ　カンフアーム　マィ　ネエークス(ト)　ダアー(ク)ァズ

appointment.

アポオーィン(ト)メント

来週火曜日の9時30分です。

It is next Tuesday at 9:30 a.m.

イリイズ　ネエークス(ト)　トゥウーズデエーィ　ァ(ト) ナァーィン サアーリィ エーィ エーム

荷物は午後2時から4時の間に配達する必要があります。

Packages must be delivered between 2 p.m.
ペアーッキッジズ　マス(ト)　ビィ　デリイーヴァ(ド)　ビトウイーン　トゥー　ピイー　エーム

and 4 p.m.
アン　フォーォ　ピイー　エーム

もうこんな時間だ（もうこんなに遅くなった）！

It's already this late!
イッツ　オォレエーリィ　ディース　レエーィト

長いことお邪魔して、失礼しました。

I'm sorry I stayed so long.
アィム　サアーリィ　アィ　ステエーィ(ド)　ゾオーゥ　ロオーング

構いませんよ。またお越しください。

No problem. Please come back again.
ノオーゥ　プラアーブラム　プリイーズ　カアーム　ベアーッカァ　アゲエーン

「今何時ですか？」は "Do you have the time?" と冠詞を付けますが、「お時間ありますか？」は "Do you have time?" と冠詞を付けないので注意してください。「10時15分」を "quarter past ten." (10時を4分の1過ぎた時間。"quarter" は「60分の4分の1＝15分」という意味) と表現することもあります。「明日午前10時にそちらに伺って（行って）よろしいでしょうか？」の「伺う（行く）」を "go" と言いたくなりますが、自分と話している相手の場所との往来の時は "come" を使います。ここも間違いやすい点なので注意してください。

なにかお困りですか？

May I help you?
メエーィ　アィ　　ヘエーョピュ

Is everything OK?
イズ　　エーヴリスイング　　オーゥケエーィ

Do you need any help?
ドゥユ　　　ニイーデェニィ　　ヘエーョ(プ)

道に迷ったのですか？

Are you lost?
アァ　　ユ　　ラァース(ト)

道に迷ったと思います。

I think I'm lost.
アィ　　スイーンカァィム　　ラァース(ト)

もしよろしければそこまでお連れしますよ。

I am happy to take you there if you like.
アィ　アム　　　ヘアーピィ　トゥ　テエーィキュ　　デア　　イフュ　ラアーィ（ク）

目的地はどちらですか？

What is your destination?
ワアーリズユア　　　デエースティネエーィシュン

ちょっと待ってください。グーグルマップで調べますね。

Give me a second. I'll check Google Maps.
ギイーミィ　　ァ　セエーカンド　　アイョ　チエー（ク）　グウーゴォ　メアープス

渋谷駅に行く方法を教えてもらえますか？

Could you tell me how to get to Shibuya
ク（ド）ユウ　　　テエーョ　ミィ　ハアーゥ　ルゥ　ゲエー（ト）トゥ　　シイーブヤ

Station?
ステエーィシュン

すみません、銀座三越はどこにあるかご存知ですか？

Excuse me, do you know where Ginza
イクスキュウーズ　ミィ　　　ドゥユ　　ノオーゥ　　ウェア　　ギイーンザ

Mitsukoshi is?
ミツコオーシ　　イーズ

ちょうど銀座三越のある方向へ行くところです。

I'm just going in the direction of Ginza
アィム　ジャス(ト)　ゴオーウィング　イン　ダ　ディレエークシュンナヴ　ギイーンザ

Mitsukoshi.
ミツコオーシ

よろしければ、一緒に行きましょう。

If you don't mind, I'll go with you.
イフュ　ドン　マアーィン(ド)　アィヲ　ゴオーゥ　ウィデュ

東京タワーへ行くには、浅草線に乗って東銀座駅で日比谷線に乗り換えます。

To get to Tokyo Tower, take the Asakusa
トゥ　ゲエー(ト)　トゥ　トオーゥキョウ　タアーゥワァ　テエーィ(ク)　ディ　アーサクウーサ

Line and transfer to the Hibiya Line at
ラアーィン　アン　チュランツファー　トゥ　ダ　ヒイービャ　ラアーィンァ(ト)

Higashi-Ginza Station.
ヒイーガシ　ギイーンザ　ステエーィシュン

神谷町駅で降りたら、歩いて東京タワーへ行くことができます。

Once you get off at Kamiyacho Station, you
ワアーンツユ　ゲラアーファ(ト)　カアーミヤチョウ　ステエーィシュン　ユ

can walk to Tokyo Tower.
キャン　ワアー(ク)　トゥ　トオーゥキョウ　タアーゥワァ

駅から東京タワーまでの道順は、駅員さんに尋ねてください。

For directions from the station to Tokyo
フォ　ディレエークシュンツ　フラム　　ダ　ステエーィシュン　トゥ　トオーゥキョウ

Tower, please ask the station staff.
タアーゥワァ　　プリイーズ　エアース(ク)　ダ　ステエーィシュン　ステアーフ

大体ここから歩いて10分くらいです。

It's about a ten-minute walk from here.
イッツァバアーゥラァ　　テエーン　　ミイーニツ　　ワアー(ク)　　フラム　　ヒァ

四条河原町バス停は、100メートル先左側にあります。

The Shijo-Kawaramachi bus stop is 100
ダ　　シイージョ　　カワアーラマアーチィ　　バアース　スタアービズ　ワアーンハアーンジュレッ(ド)

meters ahead on the left.
ミイーラァズ　　アヘェー(ド)アン　　ダ　　レエーフ(ト)

京都駅へは、この先をまっすぐ歩いて、京都タワーが見えるところで右に曲がってください。

To get to Kyoto Station, walk straight ahead and
トゥ　ゲエー(ト)トゥ　キョオーゥトゥ　ステエーィシュン　ワアー(ク)　　スチュレエーィラヘエー(ド)アン

turn right when you see Kyoto Tower.
タアーン　ラアーィ(ト)　　ウェンニュ　　スイー　キョオーゥトゥ　タアーゥワァ

この通りをまっすぐ進むと正面に八坂神社があります。

Go straight down this street and you will see

ゴオーゥ　スチュレエーィ(ト)　ダアーゥン　ディス　スチュリイーラン　ユ　ウィョ　スイー

Yasaka Shrine in front of you.

ヤアーサカ　シュラアーィン　イン　フラアーンタヴユ

ここから一番近い観光案内所は、大阪駅構内にあります。

The closest tourist information center from

ダ　クローゥセス(ト)　トウァーリスト　イーンファメエーィシュン　セエーンタァ　フラム

here is located inside Osaka Station.

ヒァ　イズ　ロオーゥケイリ(ド)　インサアーィ(ド)　オーサカ　ステエーィシュン

この近くに日曜日に開いている郵便局はありますか？

Is there a post office near here that is

イズ　デアァ　ポオーゥスタアーフィス　ニイーァ　ヒァ　ダリズ

open on Sundays?

オーゥプンナン　サアーンデイーズ

あいにくですが、わかりません。

I'm sorry, but I don't know.

アィム　サアーリィ　バライドン　ノオーゥ

この付近に詳しくないので。

I'm not familiar with this area.

アィム　ナアー(ト)　ファミイーリァ　ウィディス　エーリァ

皇居に行きたいのですが、どこにありますか？

I want to go to the Imperial Palace.
アィ　ウァーン　トゥ　ゴオーゥ　ル　ディ　ィムペエーリァォ　ペアーレス

Where is it?
ウエーァ　イーズィ（ト）

浜離宮庭園へ行くのでしたら、水上バスがお勧めです。

To get to Hama-Rikyu Gardens, I
トゥ　ゲエー（ト）　トゥ　ハアーマァ　リイーキュ　ガアーァデンヅ　アィ

recommend taking the water bus.
レエーコメエーン（ド）　テエーィキング　ダ　ワアーラァ　バアース

すみません、日比谷公園へはどうやって行くのか教えてくれませんか？

Excuse me, can you tell me how to get to

イクスキュウーズ　ミィ　　キャニュ　テエーォ　ミィ　ハアーゥル　ゲエー(ト) トゥ

Hibiya Park?

ヒイービャ　　パアーァ(ク)

ここからだと、日比谷線に乗るのが一番早く着きますよ。

From here, the fastest way to get there is to

フラム　　ヒイーァ　　ダ　フェアーステス(ト) ウエーィ トゥ ゲエー(ト)　ディアズ　　トゥ

take the Hibiya Line.

テエーィ(ク)　ダ　ヒイービャ　ラアーィン

ワンポイント解説

日本には多くの外国人が観光で訪れます。インターネットでオンライン地図を見ることができても、どうしても場所がわからないという外国人も多いと思うので、そういう時に備えて色々な言い方を練習しておきましょう。英語での説明の仕方が分からない場合は、P45のように "I am happy to take you there if you like."（もしよろしければそこまでお連れしますよ。）と言って連れて行ってあげるのもよいと思います。

自己紹介させてください。

Let me introduce myself.

レエー（ト）　ミィ　インチュラデュウース　マィセエーョフ

自己紹介させていただいてもよろしいでしょうか？

Would you mind if I introduce myself?

ウゥディユ　マアーィンディファィ　インチュラデュウース　マィセエーョフ

私の名前は松下幸子といいます。ゆきさんと呼ばれています。

My name is Sachiko Matsushita. They call

マィ　ネエーィミズ　サアーチィコゥ　マツウーシタァ　デイ　コオーォ

me Yuki-san.

ミィ　ユーキィ　サアーン

私の名前は松下といいます。あなたのお名前を教えていただけますか？

My name is Matsushita. Can you tell me

マィ　ネエーィミズ　マツウーシタァ　キャニュ　テエーョ　ミィ

your name, please?

ユァ　ネエーィム　プリイーズ

51

どちらのご出身ですか？

Where are you from?
ウエーァ　　　アァユ　　　フラアーム

大阪で生まれましたが、育ちは東京です。

I was born in Osaka but grew up in Tokyo.
アィ　ワズ　ボオーォンニン　オーサカァ　バツ（ト）　グルーアーピン　トオーゥキョウ

生まれも育ちも京都です。

I was born and raised in Kyoto.
アィ　ワズ　ボオーォンナン　レエーィズディン　キョオーゥトゥ

京都は歴史的な寺院や神社で有名です。

Kyoto is well known for its historic
キョオーゥトゥ　イズ　ウエーョ　ノオーゥン　フォ　イッツ　ヒストオーリ（ク）

temples and shrines.
テエームポォズァン　シュラアーィンツ

すみませんが、どこのご出身だったかもう一度教えて下さい。

Sorry, please remind me where you are from
サアーリィ　　　プリイーズ　リマアーィン（ド）　ミィ　　ウエーァ　　　ユァ　　フラアーム

again.
ァゲエーン

札幌がとても恋しいです。

I miss Sapporo very much.
ァィ　ミイース　　サアーポロウ　　ヴエーリィ　マアーチ

現在一時的に東京に住んでいます。

I'm currently living in Tokyo.
ァィム　　カアーレン（ト）リィ　リイーヴィングィン　トオーゥキョゥ

アパートの家賃はとても高いです。

My apartment's rent is very high.
マィ　　　ァパアーァ（ト）メンツ　　レエーンティズ　ヴエーリィ　ハアーィ

ご職業をお伺いしてもいいですか？

May I ask what you do for a living?

メエーィ　アィ　エアース(ク)　ワァー(ト)ユウ　ドゥー　フォア　リイーヴィング

私はエンジニアです。システム工学が私の専門です。

I am an engineer. System engineering is my

アィァムァン　　エーンジニイーァ　　スイーステム　　エーンジニイーァリング　イズ　マィ

specialty.

スペエーショティ

私は引退した教師です。３年前に引退しました。

I am a retired teacher. I retired three years

アィァムァ　リタアーィァ(ド)　テイーチャ　アィ　リタアーィァ(ド)　スリイー　ィイーァズ

ago.

ァゴオーゥ

Where are you from?（どちらのご出身ですか？）の場合、語尾は音を下げて発音しますが、May I ask what you do for a living?（ご職業をお伺いしてもいいですか？）のように相手にYes/Noの意思を尋ねる質問は語尾を上げて発音するので注意してください。

自己紹介をする（2）趣味について

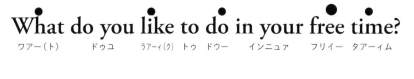

◎Vol.1_07

暇な時は何をなさっているんですか？（趣味は何ですか？）

What do you like to do in your free time?

ワアー（ト）　ドゥユ　ラアーィ（ク）トゥ ドゥー　インニュア　フリイー タアーィム

私は暇な時には本を読みます。

I read books in my free time.

ァィ リイー（ド）　ブゥークス　インマィ　フリイー　タアーィム

どんな本を読むのが好きですか？

What kind of book do you like to read?

ワアー（ト）　カアーィンダヴ　ブゥー（ク）　ドゥユ　ラアーィ（ク）トゥ リイー（ド）

私の趣味はウクレレを弾くことです。

My hobby is playing the ukulele.

マィ　ハアービィィズ　プレエーィング　ダ　ユウーカレエーィリィ

私は孫息子と一緒に過ごすことが大好きです。 ※孫娘は **grand daughter**
グレアーン（ド）　ドオータア

I love spending time with my grandson.
アィ　ラアーヴ　スペエーンディング　タアーィム　ウィス　マィ　グレアーン（ド）サアーン

最近クラシック音楽にとてもはまっています。

I'm really into listening to classical music
アィム　リイーァリィ　イーントゥ　リイースニング　トゥ　クレアースィコ　ミュウーズィ（ク）

lately.
レエーィ（ト）リィ

家族と一緒に旅行するのが私の趣味です。

My hobby is traveling with my family.
マィ　ハアービィ　イズ　チュレアーヴェリング　ウィス　マィ　フェアーミリィ

とてもユニークな趣味ですね！

That's a unique hobby!
デアーツァ　ユニイー（ク）　ハアービィ

あなたはいい趣味を持っていますね。

You have good taste.
ユ　ヘアーヴァ　グウー（ド）　テエーィス（ト）

本当？　私も同じ趣味があります。

Really? That's what I do too.
リイーァリィ　　デアーツ　　ラアーィ　　ドゥー　トゥー

通訳ガイドになるための勉強をしています。

I am studying to become a licensed guide-
アィアム　　スタアーディング　トゥ　　ビカアームァ　　ラアーィセンツ（ト）ガアーィ（ド）

interpreter.
インタアープリタァ

私は野球観戦に興味があります。

I have an interest in watching baseball
アィ　ヘアーヴァン　　イーンチュラスティン　　ワアーチング　　ベエーィスボオーォ

games.
ゲエーィムズ

あなたはどのくらいの頻度（ひんど）でゴルフをするのですか？

How often do you play golf?
ハウ　　アーフン　　ドゥユ　　プレエーィ　ゴオーゥフ

私は絵を描くのが好きです。たまに夫とスケッチをしに行きます。

I like to draw pictures. I sometimes go

アイ　ラアーィ(ク)　トゥ　ジュロオー　ピイー(ク)チャズ　アイ　サアームタアーィムズ　ゴオーゥ

sketching with my husband.

スケエーチング　ウィス　マイ　ハアーズバンド

私は料理が好きです。特にオムレツを作るのが得意です。

I like to cook. I am especially good at

アイ　ラアーィ(ク)　トゥ　クウー(ク)　アィアム　エスペエーシャリィ　グウーラ(ト)

making omelet.

メエーィキング　アームレット

私は書道が好きで、書道をやると心が落ち着きます。

I like Japanese calligraphy. It eases my heart.

アイ　ラアーィ(ク)　ジェアーパニイーズ　カリイーグラフィ　ィ(ト)　イーズィズ　マイ　ハアーァト

外国の方に時々教えています。

I sometimes teach it to foreigners.

アイ　サアームタアーィムズ　ティーチィ(ト)　トゥ　フオーオリナァズ

自分の趣味を語るだけでなく、相手の趣味に関しても色々質問できるようにしておきましょう。traveling の発音は「トラベリング」のようにカタカナ発音になりやすいので、注意してください。

Unit 7　自己紹介をする（3）家族について

◎Vol.1_08

子どもが2人います。

I have two kids.
アィ　ヘアーヴ　トゥー　キイーヅ

....

妻と結婚してもう35年になります。

My wife and I have been married for 35
マィ　ワアーィフ　アンナィ　ハヴ　ビン　メアーリィド　フォ　サアーリィファアーィヴ

years.
ィイーァズ

....

ご家族は何人いらっしゃいますか？

How many people are there in your family?
ハウ　メエーニィ　ピイーポ　アァ　デア　インニュア　フェアーミリィ

....

私は4人家族です。父と母と妹、そして私です。

We are a family of four. My dad, mom,
ウィアァ　フェアーミリィ　アヴ　フオーォ　マィ　デアー（ド）　マアーム

younger sister and me.
ヤアーンガァ　スイースタ　アン　ミイー

....

私の家族はいつもにぎやかです。

My family is always lively.
マィ　フェアーミリィ　イズ　オーォウェイズ　ラアーィヴリィ

....

私はよく姉にそっくりだと言われます。

People say that I look exactly like my elder

ピイーポ　　セエーィ　　ダライ　　ルウーク　イグゼアークリィ　ライ（ク）　マィ　　エーョダ

sister.

スイースタァ

私には兄弟姉妹はいません。

I don't have any siblings.

アィ　ドン（ト）　　ヘアーヴェニィ　　スイーブリングス

私には3歳になる孫息子がいます。

I have a three-year-old grandson.

アィ　　ヘアーヴァ　　　スリー　　イィイーア　オーゥゥ（ド）　グレアーンサアーン

私は夫と息子、娘の4人で暮らしています。

I live with my husband, son, and daughter.

アィ リイーヴ　　ウィス　　マィ　　ハアーズバンド　　サアーン　　アン　　ドオーラァ

あなたの息子さんは、小学3年生ですか、それとも4年生ですか？

Is your son in third grade or fourth grade?

イズユア　　サアーンニン　サアー（ド）グレエィ（ド）　オァ　　フオーオス　　グレエーィド

沖縄に父と母が住んでいます。

My father and mother live in Okinawa.
マイ　フアーダァ　アン　マアーダァ　リイーヴィン　オーキナアーワァ

娘がフランス人と結婚する予定です。

My daughter is going to marry a Frenchman.
マイ　ドオータァ　イズ　ガナ　メアーリィア　フレエーンチマン

私の甥は面白いやつです。

My nephew is a funny guy.
マイ　ネエーフィュ　ィザ　フアーニィ　ガアーィ

次女が3カ月前に出産をしました。女の子です。

My second daughter delivered a baby three

マィ　セエーカン（ド）　ドオータァ　デリイーヴァダァ　ベエーィビィ　スリイー

months ago. It's a girl.

マアーンツァゴオーゥ　イッツァ　ガアーォ

ワンポイント
解説

家族紹介は簡潔に済ませるのもよいですが、「ペットがいます」「孫が生まれました」など、盛り上がりそうな話題を意識的に入れるとよいと思います。性別を特定しない兄弟姉妹のことをsiblingと言います。
monthsの最後の"ths"は「ッ」のような発音になり、thなのに舌をかまないで発音するので注意してください。

Chapter 3

海外の友人や
家族との会話

遠いところからようこそ。我が家までご案内します。

Welcome from afar. I will guide you to my
ウエーォカム　　フラム　　アフアー　アィ　ウィョ　　ガアーィディユ　　トゥ　マィ

home.
ホオーゥム

お招きいただき、ありがとうございます。

Thank you for the invitation.
サエアーンキュ　　フォ　ディ　イーンヴィテエーィシュン

私は理香の母の敦子といいます。

My name is Atsuko, Rika's mother.
マィ　　ネエーィミズ　　アーツコウ　　リイーカァズ　マアーダァ

イタリアはよいところですね。

Italy is a good place.
イータリィ　イズァ　グゥー(ド)　プレエーィス

昔新婚旅行でベネツィアに行ったことがあります。

I once went to Venice for my honeymoon.
アィ　ワアーンツ　ウエーン(ト)　トゥ　　ヴエーニス　　フォ　マィ　　ハアーニィムウーン

ご両親はお元気ですか？

Are your parents well?
アァ　　ユァ　　ペエーァレンツ　　ウエーォ

とてもすてきなお家ですね。

It's a very nice house.
イッツァ　ヴエーリィ　ナアーィス　ハアーゥス

お庭にはお花がたくさん植えてあって素晴らしいです。

The garden is wonderful with lots of flowers.
ダ　　ガアーデンニズ　　ワアーンダフォ　　ウィス　　ラアーッァヴ　　フラゥアーワズ

あなたの息子さんの人柄はとても素晴らしくて、娘にはもったいないくらいです。

Your son's character is so wonderful that he
ユァ　　サアーンツ　　キエアーラ（ク）タリズ　　ソオーゥ　　ワアーンダフォ　　ダット　　ヒ

is too good for our daughter.
イズ　トゥー　グウー（ド）　フォアゥ　ドオータァ

ご家族の皆さんが娘を気に入ってくれて、私たち夫婦はとても感謝しています。

My wife and I are very grateful that everyone

マィ　　ワアーイファンダアイ　　アァ　ヴエーリィ　グレエーィ(ト)フォ　ダッ(ト)　　エーヴリワアーン

in your family loves our daughter.

インニュア　　フェアーミリィ　　ラアーヴズァァ　　ドオータァ

娘をよろしくお願いします。（＝どうぞ娘を幸せにしてください。）

Please make our daughter happy.

プリイーズ　　メエーィカアァ　　ドオータァ　　ヘアービィ

あなたの弟さんと私の娘の結婚式以来、直接お会いしていないですね。

I haven't seen you in person since your

アィ　ヘアーヴン(ト)　スイーンニュ　イン　パアースン　スインツ　ユァ

brother and my daughter's wedding.

ブラアーダァ　　アン　　マィ　　ドオータァズ　　ウエーディング

お元気そうで何よりです。

I'm glad to see you are doing well.

アィム　グレアー(ド)トゥ　スイー　ユ　アァ　ドウーィング　ウエーォ

私がアメリカでご両親に初めてお会いした時に、親切にしてくださいました。

When I first met your parents in the U.S.,
ウエーンナィ　フアース(ト)　メエー(ト)ユア　　ペエーアレンツ　　インダ ユウーエース

they were very kind to me.
ディ　　　ワァ　　ヴエーリィ カアーイン(ド) トゥ　ミィ

あなたが近々結婚すると娘から聞きました。

I heard from my daughter that you will be
アィ ハアーア(ド)　フラム　　マィ　　ドオーラァ　　　ダッ(ト)ユウ　　ウィョ　ビィ

getting married soon.
ゲエーリィング　　メアーリィ(ド)　　スウーン

結婚式に参列してくれたあなたのお友達は、今どうしていらっしゃいますか?

What are your friends who attended the
ワァー(ト)アァ　　　フレエーンヅ　　フゥ　　アテエーンディ(ド)　　ダ

wedding doing now?
ウエーディング　　ドゥーィング　ナアーォ

孫が来月生まれる予定です。

My grandchild will be born next month.
マィ　　グレアーン(ド)チャアーィョ(ド)　ウィョ　ビィ　　ボオーン　ネエークス(ト)　マアーンス

短い時間で打ち解けるには共通の話題を用意しておきましょう。
wonderful、character、flowerなどは日本語発音にならないように。

箱根に行ったことはありますか？

Have you ever been to Hakone?
ハヴュ　　　エーヴァ　ビイーン　トゥ　　ハコオーネ

箱根は温泉で有名な観光名所です。

Hakone is a tourist spot famous for its hot
ハコオーネ　　イズァ　トゥーァリス(ト) スパアー(ト) フエーィマス　　フォ　イッツ ハアー(ト)

springs.
スプリイーング

京都には多くの歴史的建造物があります。

There are many historical buildings in
デアァ　　　　メエーニィ　　ヒストオーリコ　　ビイーョディングス　　イン

Kyoto.
キョオーゥトゥ

京都の夏は暑く、冬はとても寒いのですが、秋の紅葉はとてもきれいです。

Kyoto's summers are hot and winters are
キョオーゥトゥズ　　サアーマァ　　アァ　　ハアータン　　ウイーンタァズ　　アァ

very cold, but the autumn leaves are very
ヴエーリィ コオーゥゥド バッ(ト)　ディ　　オータム　　リイーヴス　　アァ ヴエーリィ

beautiful.
ビュウーリフォ

金閣寺は京都で最も人気のある場所のひとつです。

Kinkaku Temple is one of the most popular

キイーンカク　　　テエームポォ　イズ　ワアーンナヴ　　ダ　モオーゥス(ト)パアーピュラァ

places in Kyoto.

プレエーィスィズイン キョオーゥトゥ

どこか行きたいところはありますか？

Is there any place you want to go?

イズデア　　　エーニィ　プレエーィス　　ユ　　ワァーン(ト)トゥ　ゴオーゥ

日本で体験してみたいものは何ですか？

What would you like to experience in Japan?

ワアー(ト)　　　ウゥディユ　　ラアーィ(ク)トゥ　イクペエーリエンツィン　ジャペアーン

歌舞伎鑑賞が私のお勧めです。

Watching Kabuki is my recommendation.

ワアーチング　　カブウーキィ　イズ　マィ　　レエーコメンデエーィシュン

歌舞伎座に行く時はマスクをつけて行った方がいいですよ。

When you go to Kabuki-za, you'd better

ウエーンニュ　　ゴオーゥトゥ　カブキイーザァ　　ユゥ(ド)　　ベエーラァ

wear a mask.

ウエーァ　ァ　メアースク

奈良公園の鹿は神の使いと言われています。

The deer in Nara Park are said to be
ダ　デイーァ　イン　ナアーラァ　パアーァカァ　セエー（ド）トゥ　ビィ

messengers of a god.
メエーセンジャズァヴ　　ガアード

着物を着て写真を撮ってみませんか？　レンタルのお店があちらに数軒あります。

Why don't you wear a kimono and take some
ワアーィ　　ドン（ト）ユウ　　ウエーァ　ァ　キモオーノオゥ　　アン　テエーィ（ク）　サム

pictures?
ビイークチャズ

There are several rental shops over there.
デァ　　アァ　　セエーヴロ　　レエーンタオ　シャアープス　オーゥヴァ　　デァ

7月には祇園祭という大きなお祭りが行われ、きれいな装飾の鉾が飾られます。

In July, a big festival called Gion Matsuri
イン　ジュラアーィ　ァ　ビイー（グ）フエースティヴォ　コオーォ（ド）　ギイーオン　　マァーツリィ

will be held, and beautifully decorated
ウィョ　ビィ　ヘエーォ（ド）　アン　　ビュウーリフリィ　　デエーコレエーィティ（ド）

halberds will be displayed.
ヘアーォバァヅ　　ウィョ　ビィ　ディスプレエーィド

二条城の近くに伝統的な刀を展示しているお店があります。

There is a shop near Nijo Castle that
デァィズァ　　　シャアー（プ）ニィーァ　ニィージョゥ　ケアーソォ　　ダッ（ト）

displays traditional swords.
ディスプレエーィズ　　チュラデイーショノ　　　スゥオーヅ

富士山は日本一高い山で、大変美しいです。

Mt. Fuji is the highest mountain in Japan
マアーゥン（ト）フゥージィ イズ　ダ　ハアーィエス（ト）　　マアーゥンテンニン　　ジャペアーン

and is very beautiful.
アン　　イズ ヴエーリィ　　ビュゥーリフォ

京都へ紅葉狩りに行ってきました。とてもきれいでした。

I went to Kyoto to enjoy the autumn leaves.
アィ ウエーン（ト）トゥ キョオーゥトゥ トゥ エンジョオーィ ディ　　オータム　　リイーヴス

It was very beautiful.
イッ（ト）　ワズ　ヴエーリィ　　ビュゥーリフォ

この神社を参拝すると金運が上がりますよ。

If you visit this shrine, it will help you
イフュ　ヴイーズィ(ト)ディス　シュラアーィン　ィ(ト)ウィョ　ヘエーォピュ

become prosperous.
ビカーム　　プラアースパラス

富士山は2013年に世界文化遺産に登録されました。

Mt. Fuji was registered as a World Cultural
マアーゥン(ト)フウージィ　ワズ　　レエージャスタァダズァ　　ワアーォ(ド)　カアーォチュロ

Heritage site in 2013.
ヘエーリティジ　　サアーィティン　トウエーニィサアーテイーン

晴れていれば、東京にいても、虎ノ門ヒルズのような高層ビルから富士山を見ることができます。

On a clear day, you can see Mt. Fuji from
アンナ　クリイーァ　デエーィ　　ユ　キャン　スイー　マアーゥン(ト)フウージィ　フラム

skyscrapers like Toranomon Hills,
スカアーィクレエーィパァズ　ライ(ク)　　トオーラノモン　　ヒイーョズ

even if you are in Tokyo.
イーヴンニフュ　アァ　イン　トオーゥキョウ

日本の文化に興味をお持ちでしたら、皇居に行かれることを強くお勧めします。

If you are interested in Japanese culture, I
イフユアァ　　　　　　イーンチュレスティディン　　ジェアーパニイーズ　　カアーオチャ　　アィ

highly recommend visiting the Imperial
ハアーィリィ　　レエーコメエーン（ド）　　ヴィーズィティン　　ディ　　イムビイーリィォ

Palace.
ペアーレス

京都や東京などの観光地では、人力車に乗ることができます。

In Kyoto, Tokyo and other tourist spots, you
イン　キョオーゥトゥ　トオーゥキョウ　　アン　　アーダァ　　トゥーァリス（ト）スパアーッ　　ユ

can ride a rickshaw.
キャン　　ラアーィダァ　　リイー（ク）シャ

神社とお寺とでは、お参りの作法が違います。

There is a difference in the etiquette of
ディァィズァ　　　デイーファレンツ　　イン　　ディ　　　エーティケェータヴ

praying at shrines and temples.
プレエーィング　　ア（ト）シュラアーィンヅ　　アン　　テエームポォズ

73

神社では手をたたいて音を出しますが、お寺では両手を合わせるだけで音
は出しません。

At shrines, you clap your hands to make a

ア(ト) シュラアーィンツ　ユ　　クレアーピョァ　ヘアーンツ　トゥ　メエーィカァ

sound, but at temples, you just put your

サーゥンド　　バラッ(ト)　テエームポォズ　ユ　ジャス(ト)　プゥーチュァ

hands together and do not make any sound.

ヘアーンツ　トゥゲエーダァ　　アン　ドゥ　ナアー(ト)　メエーィケニィ　サアーゥンツ

神社やお寺によって独自の作法がある場合がありますので、詳しいこと
は、神社やお寺の方に聞いてください。

Each shrine or temple may have its own

イーチ　シュラアーィン　オァ　テエームポォ　メィ　ヘアーヴィツ　オーゥン

etiquette, so please ask the shrine or temple

エーティケエート　ソゥ　プリイーズ　エアース(ク)ダ　シュラアーィン　オァ　テエームポォ

staff for details.

ステアーフ　フォ　デイーティョズ

ワンポイント
解説

日本文化に興味を持っている外国人にちょっと面白い知識を教えてあげ
るとよいでしょう。historical、beautiful、rental、cultural、temple 等
の最後にエルの発音が来る単語を日本人は「テンプル」(temple) と最
後を「ル」のように発音しがちですが、実際は「ォ」のように発音する
ので注意してください。人力車（rickshaw）の語源は「力車」になり
ます。

日本の文化を教える(2) 食について

日本食はお好きですか？

Do you like Japanese food?

ドゥユ　　　ラアーィ(ク)ジェアーパニイーズ　フウード

日本食では何がお好きですか？

What kind of Japanese food do you like?

ワアー(ト)　　カアーィンダヴ　ジェアーパニイーズ　フウー(ド)　　ドゥユ　　ラアーィ(ク)

四季折々の食材を使う日本食はとてもヘルシーです。

Japanese food that uses ingredients from all

ジェアーパニイーズ　フウード　ダッ(ト)　ユウーズィズ イングリイーディエンツ　　フラム　オーォ

four seasons is very healthy.

フオーォ　　スイーズンズィズ　ヴエーリィ　ヘエーォスィ

わかめと長ネギのみそ汁の作り方を教えます。

I will teach you how to make miso soup with

アィ　ウィヨ　　テイーチュ　　　　ハアーゥトウ　メエーィ(ク) ミィーソゥ スウー(ブ)　ウィス

wakame seaweed and green onions.

ワカアーメィ　　　スイーウイーダン　　グリイーン　アーニァンツ

おにぎりはこうやって握って作ります。

Onigiri is made by forming it in this way.

オニギイーリィ　イズ メエーィ（ド）　バイ　　フオーミンギィ（ト）　イン　ディス　ウエーィ

お箸の使い方はわかりますか？

Do you know how to use chopsticks?

ドゥユ　　　　ノオーゥ　　　ハアーゥトウ　ユウーズ チャアープステイークス

おばんざいという地元の料理があり、見た目もとてもきれいです。

There is a local dish called obanzai, and it

ディズァ　　　　ロオーゥコ　デイーシ　コオーォ（ド）　オバアーンザィ　　アンニッ（ト）

looks very beautiful.

ルウークス　ヴエーリィ　　ビュウーリフォ

お抹茶を立てました。この和菓子を少し食べた後で抹茶を飲んでください。

I made matcha. Try drinking matcha after

アィ　メエーィ（ド）　　マアーチャ　　　チュラアーィ ジュリィーンキング　　マアーチャ　　エアーフタァ

eating some of these wagashi.

イーリィング　　サムァヴ　　デイーズ　　ワァーガシィ

だしは日本の伝統的な調味料で、かつおや昆布から作られます。

Dashi is a traditional Japanese stock, made

ダアーシィ　イズァ　チュラデイーショノ　ジェアーパニイーズ　スター（ク）　メエーィ（ド）

from bonito and kelp.

フラム　　ボニイートゥ　　アン　　ケエーョプ

このレシピは日本のだしを使っています。

This recipe uses Japanese broth.

ディス　　レエーサピィ　ユウーズィズ ジェアーパニイーズ　ブロオース

顆粒だしは日本料理には欠かせない調味料です。

Dashi is an indispensable seasoning in

ダアーシィ　　イザン　　イーンディスペエーンツァボ　　スイーズニング　　イン

Japanese cooking.

ジェアーパニイーズ　　クウーキング

もしお寿司がお好きでしたら、豊洲市場の大和寿司に行ってみてはいかが
でしょうか？

If you like sushi, why not try Daiwa Sushi in

イフュ　　ラアーィ(ク)スウーシィ　　ウアーィ　ナアー(ト)チュラアーィ ダアーィヮ　　スウーシィ　イン

Toyosu Market?

トヨオーゥス　　マアーァケット

大和寿司に行けば、最高においしいお寿司を銀座の3分の1の値段で食べら
れますよ。

If you go to Daiwa Sushi,

イフュ　　ゴオーゥトゥ　　ダアーィヮ　　スウーシィ

you can have the most delicious sushi for a

ユ　　キャン　　ヘアーヴ　　ダ　　モオーゥス(ト) デリイーシャス　　スウーシィ　　フォア

third of the price of Ginza.

サアーダヴダ　　　プラアーィサァヴ　　ギイーンザ

大和寿司は豊洲市場に実際にあるお店で、最高級のお寿司が銀座の３分
の１の値段で食べられる名店です。アメリカのカーター元大統領は美味
しくて２回来たほどです。歌舞伎役者の市川海老蔵さんも「世界一の朝
食」とブログで紹介していました。私も知り合いの外国人を連れて行く
と必ず喜ばれる店なので、もしお寿司好きな外国人の知り合いがいたら
連れて行ってみてください。

今度帰国した時は何が食べたい？

What do you want to eat next time you
ワアー（ト）　　　ドゥユ　　ワアーン（ト）トゥ　イー（ト）ネエークス（ト）　タアーィミュ

return to Japan?
リタアーン　　トゥ　　ジェペアーン

いつものお母さん特製餃子が食べたいです。

I want to eat my mom's special dumplings as
アィワアーン（ト）トゥ　イー（ト）　マィ　　マアームズ　　スペエーショ　　　ダアームプリングズ　　　アズ

usual.
ユウージュォ

彼もお母さんの特製餃子が大好きです。

He loves her special dumplings.
ヒィ　　　ラアーヴザァ　　スペエーショ　　ダアームプリングズ

時差ぼけは大丈夫？　昨日はよく眠れた？

Are you jet-lagged? Did you sleep well last
アァ　　　ユ　　ジェエー（ト）レアーグ（ド）　　ディディュ　　スリイー（プ）ウエーォ　レアース（ト）

night?
ナアーィ（ト）

昨日はぐっすり寝られたよ。

I slept extremely well last night.
アィ　スレエー（プ）（ト）エクスチュリイームルィ　　ウエーォ　レアース（ト）ナアーィ（ト）

79

ヤニスさんはお豆腐は食べられる？

Can Yannis eat tofu?
キャン　　ヤァーニイス　　イー（ト）トオーゥフゥ

食べられるよ。彼は豆腐が大好きで、週に2回は食べてるんだよ。

Yes, he can. He loves tofu. He eats it at least
イエース　ヒィ　ケアーン　ヒィ　ラアーヴズ　トオーゥフゥ　ヒィ　イーツィ（ト）　ア（ト）リイース（ト）

twice a week.
トゥワアーィスァ　ウイーク

彼は日本文化が大好きで、趣味で剣道をやっています。

He loves Japanese culture and does kendo
ヒィ　ラアーヴズ　ジェアーパニイーズ　カアーオチャ　アン　ダアーズ　ケエーンドゥ

as a hobby.
アズァ　ハアービィ

ニュージーランドは今暖かいのですか？

Is New Zealand warm now?
イズ　ニュウー　ズイーランド　ウォオーム　ナアーオ

日本は夏湿気がとても多いです。フランスの夏は過ごしやすいですか？

It is very humid in Japan in summer. Is it
イリズ　ヴエーリィ　ヒュウーミィディン　ジャペアーン　イン　サアーマァ　イズィ（ト）

comfortable to spend summer in France?
カアームファタボォ　トゥ　スペアーン（ド）　サアーマァイン　フレアーンツ

今回の旅行はケンとオリビアを連れてこなかったの？

You didn't bring Ken and Olivia with you on

ユ　　デイードゥン(ト)ブリーイング　ケエーン　　アン　　アリーヴィア　　　ウィデュ　　　アン

this trip?

ディス　チュリイー(プ)

ケンとオリビアはヨセミテ国立公園のサマーキャンプに参加しています。

Ken and Olivia are attending a summer

ケエーン　　アン　　アリイーヴィァ　アァ　　アテエーンディングァ　　　サアーマァ

camp in Yosemite National Park.

ケアームピン　　　ヨゥセエーミリィ　　　ネアーショノ　　　パアーァ(ク)

明日は夫婦水入らずで銀座で夕食を食べてきたら？

Why don't you and your wife go to Ginza for

ウァアーイ　　　ドン(ト)ユウ　　　アンニュァ　　ウゥアーイフゴオーゥ トゥ　ギイーンザ　　フォ

dinner tomorrow, just the two of you?

デイーナァ　　　トゥマアーロゥ　　ジャアース(ト) ダ　　トゥー　　アヴィユ

近年国際化が進んできているので、お子さんの伴侶が外国人というケースも増えていることと思います。このような場合、特に食に関して相手の好き嫌いを聞いておくとよいと思います。また、相手の国の文化に興味を持つことで仲良くなれると思うので、事前に調べておいて色々質問してみるとよいと思います。

日本に来た時に何かやりたいことある？

Is there anything you want to do when you

イズ　　デア　　エーニスィング　　ユ　　ワアーン(ト)トゥ　ドゥー　　ウエーンニュ

come to Japan?

カアーム　　トゥ　ジェペアーン

東京ディズニーランドに行ってみたい！

I want to go to Tokyo Disneyland!

アィ ウゥアーン(ト)　トゥ　ゴオーゥトゥ　トオーゥキョウ　　デイーズニィレアーンド

日本での交換留学は楽しみですか？

Are you looking forward to studying in

アァ　　ユ　　ルウーキング　　フオーゥヴァ(ド)　トゥ　　スタアーディングィン

Japan as an exchange student?

ジャペアーン　　アザン　　イクスチエーィンジ　スティユーデント

今年のサマーキャンプでは友達はできた？

Did you make any friends at summer camp

ディデュ　　　メエーィケニィ　　フレエーンヅァ(ト)　　サアーマァ　　ケアーム(プ)

this year?

ディス　ィイーア

うん、10人ぐらい友達ができたよ。

Yeah, I've made about 10 friends.

ィエーァ　　アィヴ　メエーィダァバァゥ(ト)　テエーン フレエーンヅ

82

せっかく日本に来たんだから、盆踊りに参加してみたら？

Since you've come all the way to Japan, why

スインツ　　　ユゥヴ　　　カアーム　オーォ　ダ　ウェエーィ トゥ ジャペアーン　ウゥアーィ

don't you participate in the Bon dance?

ドン(ト)ユウ　　　　パァティーサペエーィティン　　ダ　ボオーン　デアーンツ

学校の給食は美味しかった？

Did you enjoy the school lunch?

ディディュ　　エンジョオーィ　ダ　　スクウーォ　　ラアーンチ

電車に乗る時は必ずマスクを装着するようにしてね。

Make sure you wear a mask when you get on

メエーィ(ク) シュウーァ　ユ　　ウエーァ　ァ メアース(ク)　　ウエンニュ　　ゲエー(ト)アン

the train.

ダ　チュレエーィン

最近寒いから風邪をひかないように気を付けて。

It's been cold lately, so be careful not to

イッツ　　ビン　　コオーゥゥ(ド) レエーィ(ト)リィ ソゥ ビィ　ケエーァフォ　ナアー(ト)トゥ

catch a cold.

ケアーッチァ　コオーゥゥド

あなたの好きな日本のお菓子を送りましょうか？

Shall we send you your favorite Japanese

シャォウィ　　　セエーンディユ　　　ユァ　　フエーィヴァリッ(ト) ジェアーパニイーズ

sweets?

スゥイーツ

すき焼きは食べたことあったっけ？

Have you ever had sukiyaki?

ヘアーヴュ　　　エーヴァ　ヘアー（ド）スウーキィヤアーキィ

（孫について話す）
ケンは亡くなったおじいちゃんにそっくりだね。特に目鼻立ちが似てるね。

Ken looks just like his late grandpa.

ケエーン　　ルウークス　ジャアース（ト）ラィキズ　　レエーィ（ト）グレアーンパァ

Especially his eyes and nose.

エスペエーシャリィ　　　ヒズ　　　アーィズァン　　　ノオーゥズ

「亡くなったおじいちゃん」は直訳すると "dead grandpa（grandfather の砕けた言い方）" となりますが、"dead" だとちょっと直接的すぎるので "late grandpa" という表現を使います。似たような表現で "spitting image"（生き写し）という表現もあります。He's the spitting image of his grandpa.（彼はおじいちゃんの生き写しだ）。

Chapter 4

友人との会話

近況報告　　　　　　　　◎Vol.2_01

夫と2人で記念旅行に行っていました。

I was on a commemorative trip with my
アィ　ワズ　アンナ　　　カメエーマラティヴ　　チュリイー(プ) ウィス　マィ

husband.
ハアーズバァンド

長年勤めた会社を退社して、新たにボランティア活動を始めました。

I left the company I worked for many years
アィ レエーフ(ト) ダ　　カアーンパニィ　アィ　ワアーク(ト)　フォ　メエーニィ　イイーアズ

and started a new volunteer activity.
アン(ド)　スタアーァリィラ　ニュウー　ヴアーランテイーァ　アクテイーヴィリィ

図書館で子どもたちに読み聞かせをしています。

We read aloud to children at the library.
ウィ　リイーダァラアーゥ(ド)　トゥ　チイーュジュレェン　アッ(ト)ダ　ラアーィブラリィ

たくさんの折り紙作品を作って人にプレゼントしています。

We make a lot of origami works and give

ウィ　メエーィカァ　　ラアーラヴ　　オーリガアーミィ　　ワアークス　　アン　ギィーヴ

them as gifts to people.

デェム　　アズ ギィーフツ トゥ　　ピイーポ

イギリスの人と英語で文通をしています。

I am communicating in English with a

アィアム　　カミュウーニケエーィリィンギイン　　イーングリッシ　　ウィスァ

British person.

ブリィーティッシ　　パアースン

定年退職して余暇ができたので、先週からテニスを再開しました。

I resumed playing tennis last week since I

アィ　　リズウーム（ド）　　プレエーィン　　テエーニス　　レアース（ト）ウイー（ク）　　スィンツ　アィ

have more leisure time now that I am retired.

ヘアーヴ　　モォァ　　リイージャ　　タアーィム　ナアーォ　　ダラィアム　　リタアーィァド

残念なことに若いころのようには動けなくて、体のあちこちが痛いです。

Unfortunately, I can't move as well as I did

アーンフオーォチュナ(ト)リィ　　アィ キャアーン(ト)ムウーヴァズ　　ウエーラァズ　アィ デイー(ド)

when I was young, and my body hurts in

ウエンナィ　　ワズ　ヤアーング　　アン　　マィ　バアーディ　　ハアーツィン

many places.

メエーニィ　プレエーィスィズ

先日思い切って大そうじをしました。

The other day, I made a bold decision to

ディ　　アーダァ　デエーィ　アィ　メエーィラァ　ボオーゥォ(ド)ディスイージョン　トゥ

declutter.

ディークラアーラァ

今、蕎麦打ち教室に通っています。

I'm currently taking a buckwheat noodle

アィム　　カアーレン(ト)リィ　　テエーィキンガァ　　バアー(ク)ウィー(ト)　　ヌウーロォ

making class.

メエーィキング　クレアース

蕎麦を上手く打てるようになったらご馳走しますよ。

When I learn to make soba well,

ウエーナァィ　　ラアーン　　トゥ メエーィ(ク) ソオーゥバァ ウエーョ

I'll treat you.

アィヨ　　チュリー(ト)ユウ

88

子どもの頃から鉄道模型が大好きでした。

I have loved model trains since I was a child.

ァィ　ハヴ　ラアーヴ（ド）　マアーロ　チュレエーィンツ スインツァィ　ワズァ　チャアーィョド

今は、鉄道模型を走らせるためのジオラマ作りに熱中しています。

Now, I am passionate about making

ナアーォ　アィァム　ペアーショナッ（ト）　アバアーゥ（ト）メエーィキング

dioramas to run model trains.

ダアーィァレアーマス　トゥ　ラアーン　マアーロ　チュレエーィンツ

昨年定年退職しましたが、子どもたちがまだ学生なので、学費を稼ぐために仕事を続けています。

I retired last year, but my children are still in

ァィ リタアーィァ（ド）レアース（ト）ィィーァ　バッ（ト）　マィ　チイーュジュレンナァ　ステイーリン

school, so I continue to work to earn money

スクウーォ　ソゥ ァィ　カンテイーニュゥ　トゥ　ワアーク　トゥ　アーアン　マアーニィ

for their school fees.

フォ　デエァ　スクウーォ　フイーズ

ワンポイント
解説

定年退職前からの友達との会話の時に、退職後どんな生活をしているのかを話すのに役立つフレーズが色々あると思います。"I am passionate about 〜"（〜に熱中している）、"I'm currently taking 〜 class"（最近〜の教室に通っている）などの表現は汎用性があるので、是非ご自身の趣味について語れるようにしていただけたらと思います。

来週、大阪へ旅行に行く予定です。

I will be traveling to Osaka next week.

アィ　ウィョ　ビィチュレアーヴェリン（グ）　トゥ　オーサァカァ　ネエークス（ト）ゥイー（ク）

同窓会で30年ぶりにクラスメイトに会えるのを楽しみにしています。

I'm looking forward to seeing my classmates

アィム　　ルゥーキン　　フォーワァ（ド）　トゥ　スイーイン　　マィ　クレアースメエーィツ

for the first time in 30 years at the reunion.

フォ　　ダ　フアース（ト）タアーィミン　サアーリィィイーアズ　アッ（ト）　ダ　リイーユウーニァン

日本全国酒処巡りの旅を企画しました。

We have planned a trip to visit sake

ウィ　　ハヴ　　　プレアーンダ　　チュリイー（プ）トゥ　ヴィーズィ（ト）サアーケェ

breweries around Japan.

ブルウーァリィズ　アラアーゥン（ド）ジャペアーン

一緒に行きませんか？

Would you like to go with us?

ウゥディュ　　　ラアーィ（ク）トゥ　ゴオーゥ　　ウィダス

今年の夏、富士山に登る予定です。

I'm planning to climb Mt. Fuji this summer.

アィム　　プレアーニン（グ）　トゥ　クラアーィム　マアーゥン（ト）フウージィ　ディス　　　サアーマァ

それで、体力づくりに励んでいます。

So I'm working hard on my physical fitness.
ソゥ　アィム　　ワアーキン　　ハアーァダァン　マィ　　フィーズィコ　　フィー(ト)ネス

パウダースノーで有名な北海道のニセコ町にスキーに行きます。

I'm going skiing in Niseko, Hokkaido, a
アィム　ゴオーゥイン　スキイーイン　イン　ニセエーコゥ　　ホカアーィドゥ　　ア

town famous for its powder snow.
タアーゥン　フエーィマス　　フォ　　パアーゥダア　スノオーゥ

毎日雨が降ってうっとうしいですね。

It's raining every day and it's annoying.
イッツ　　レエーィニン　エーヴェリィ デエーィ　アンニィッツ　　アノオーィイン

気分転換に、7月になったら沖縄へ海水浴に行こうと思っています。

For a change of scenery, I'm planning to go
フォ　ア　チエーィンジァヴ　　スィーネリィ　アィム　プレアーニン　トゥ　ゴオーゥ

swimming in Okinawa in July.
スゥイーミィンギイン　　オーキナアーワァ　イン ジュラアーィ

来年のお正月は、伊勢神宮を参拝しようと思います。

I would like to visit Ise Shrine next New
アィ　ウゥ（ド）　ラアーィ（ク）トゥ　ヴィーズィ（ト）イーセィ　シュラアーィン　ネエークス（ト）ニュウー

Year's Day.
ィイーァズ　デエーィ

今年のゴールデンウィークには、東京ディズニーランドに連れて行くと、
孫たちに約束しました。

I promised my grandchildren that I would
アィ　プラアーミス（ト）　マィ　グラエアーン（ド）チイーュジュレェン　ダラィ　　ウゥ（ド）

take them to Tokyo Disneyland during
テエーィ（ク）デェム　トゥ　トオーゥキョウ　デイーズニレアーン（ド）　デュウーァリン

Golden Week this year.
ゴオーゥゥデン　ウイー（ク）　デイースイイーア

今週の日曜日、孫たちといちご狩りに出かけます。

This Sunday, I am going strawberry picking
ディス　サアーンデエーィ　アィアム　ゴオーゥイン　スチュロオーベエーリィ　ピイーキン

with my grandchildren.
ウィス　マィ　グレアーン（ド）チイーュジュレェン

今月末に銀婚式のお祝いを帝国ホテルで行います。

We will be celebrating our silver wedding

ウィョ　　ビィ　　セエーラブレエーィティンガゥア　スイーョヴァ　ウエーディン（グ）

anniversary at the Imperial Hotel

エアーニヴアーァセアリィ　アッ（ト）ディ　　イムペエーリォ　　ホゥテエーョ

at the end of this month.

アッ（ト）ディ　　エーンダァヴ　　ディス　　マアーンス

来週、京都に旅行に行く予定です。

I am planning to travel to Kyoto next week.

アィァム　　　プレアーニン（グ）　　トゥ　チュレアーヴォトゥ　キョオーゥトオゥ　ネエークス（ト）ウイー（ク）

同窓会で30年ぶりにあなたに会えるのを楽しみにしています。

I am looking forward to seeing you at the

アィァム　　　ルウーキン　　　フォーワァ（ド）　　トゥ　　　スイーィンギュウ　　　アッ（ト）ダ

reunion for the first time in 30 years.

リイーュウーニァン　　フォ　　　ダ　　フアース（ト）タアーィミン　　サアーリィィイーァズ

緊急事態宣言が解除されたら箱根の温泉にでも行きたいですね。

I want to go to the hot springs in Hakone

アィ ウアーン（ト）トゥ ゴオーゥトゥ　ダ　ハアー（ト）スプリイーンギィン　ハアーコネイ

when the state of emergency is lifted.

ウエン　　ダ　　ステエーィラヴ　　ィメアージェンツィ　イズ リイーフティド

コロナウイルスが収まったら、海外旅行はどこに行きたい？

When the coronavirus epidemic is over,

ウエーン　　ダ　コロオーゥナヴアーィァラス　エービデエーミィキィズ　オーゥヴァ

where would you like to travel abroad?

ウエーァ　　ウゥディュ　　　ラアーィ（ク）トゥ チュレアーヴォ アブララード

94

来年の全豪オープンテニスを見に行くことができるかしら？

I wonder if we can go see the Australian

アィ　ワアーンダァ　イフィ　キャン　ゴオーゥスイー　ディ　オスチュレエーィリィアン

Open Tennis Tournament next year.

オーゥプン　テエーニィス　トオーナマン（ト）　ネエークスティイーア

海外旅行は久しぶりだからなんだかとてもワクワクしています。

It's been a long time since I've traveled abroad,

イッツ　ビンナァ　ロオーン（グ）タアーィム　スインツ　アィヴ　チュレアーヴォダアブロオー（ド）

so I'm kind of very excited about it.

ソゥ　アィム　カアーィンダヴ　ヴエーリィ　イクサアーィティ（ド）アバアーゥリット

95

京都の紅葉はとてもきれいなので、今年こそは見に行きたいわね。

The autumn leaves in Kyoto are so beautiful

ディ　　オーラム　　リイーヴズィン　キョオーゥトオゥ アァ　ソオーゥ　ビュウーリフォ

that I want to go see them this year.

ダラィ　　ワアーン(ト)トゥ　ゴオーゥ スイー　　デム　　ディス　ィイーァ

旅先には必ずマスクを持参していってね。

Be sure to bring a mask with you when you

ビィ　シュウーァ トゥ　ブリイーンガァ　メアース(ク)　　ウィデュ　　　ウエーンニュ

travel.

チュレアーヴォ

コロナウイルスの影響でなかなか旅行に行けなくて、色々な場所に行き
たいと思っている方も多いと思います。I will be traveling to ～（～に
旅行に行く予定です。）、We have planned a trip to visit ～（～を訪れ
る旅を企画しました。）等は色々応用が利く表現なので、ご自身オリジ
ナルのフレーズを作ってみてください。

孫たちが急に家に遊びにくることになって、準備が大変です。

My grandchildren are suddenly coming to
マィ　　グラェアーン(ド)チイーュジュレェン　アァ　　サアー(ド)ンリィ　　カアーミン(グ)　トゥ

visit my home, and it's hard to prepare for
ヴィーズィ(ト)　マィ　　ホオーゥム　　アン(ド)　イッツ　ハアー(ド)　トゥ　　プリペエーァ　　フォ

them.
デェム

息子が海外勤務になる予定です。

My son is going to be working overseas.
マィ　　サアーン　イズ　ゴオーゥイン(グ)　トゥ　　ビィ　　ワアーキン(グ)　　オーゥヴァスイーズ

オーストラリアから留学生を受け入れることになりました。

We have decided to accept a foreign student
ウィ　　ハヴ　　ディサアーイリィ(ド)　トゥ　　アクセエープタァ　　フォオーリン　　ステュウーデン(ト)

from Australia.
フラム　　オスチュレエーィリィァ

長男は先月大学を卒業しました。

My oldest son graduated from college last

マィ　オーゥゥデス（ト）サアーン グレアージュゥエーィティ（ド）　フラム　　カアーリィジ　レアース（ト）

month.

マアーンス

そして、大学院進学のために昨日渡米しました。

And he left for America yesterday to attend

アン（ド）　ヒィ　レエーフ（ト）　フォ　　アメエーリカ　　　イエースタァデエーィ　トゥ　アテエーン（ド）

graduate school.

グレアージュァ（ト）　　スクウーォ

ヨーロッパを旅行している姉から絵葉書が届きました。

I received a postcard from my sister who is

アィ　リスイーヴ（ド）　ア　ポオーゥス（ト）カアーァ（ド）　フラム　　マィ　スイースタァ　　フゥ　　イズ

traveling in Europe.

チュレアーヴェリン（グ）イン　ィユウーラァプ

日本食が恋しいそうです。

She said she misses Japanese food.

シィ　セエー（ド）　シィ　ミイースィズ　ジェアーパニイーズ　フウー（ド）

時差のせいで、彼らと会話した後はとても眠くなります。

Due to the time difference, I feel very sleepy

デュウー　トゥ　ダ　タアーィム　ディーファランツ　アィ　フイーョ　ヴエーリィ　スリイーピィ

after conversing with them.

ェアーフタァ　カンヴアースイン（グ）　　ウィデェム

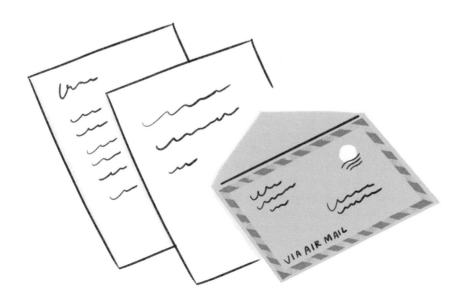

姪<ruby>姪<rt>めい</rt></ruby>がワーキングホリデーでオーストラリアに行きたいって言ってきかないんです。

My niece wants to go to Australia for a

マィ　ニイース　ワアーンツ　トゥ　ゴオゥ トゥ　オスチュレエーィリァ　フォ　ア

working holiday and she won't give up.

ワアーキン（グ）　ハアーラァデエーィアン（ド）　シィ　ウオーゥン（ト）ギイーヴアープ

以前、色々な国からの留学生を受け入れていたので、自宅の居間は世界各国のお土産でいっぱいです。

I used to host students from various

アィ　ユウースタァ　ホオーゥス（ト）ステュウーデンツ　フラム　ヴエーリァス

countries, so my living room is filled with

カアーンチュリィズ　ソゥ　マィ　リイーヴィン（グ）　ルウーム　イズ フイーョ（ド）　ウィス

souvenirs from all over the world.

スウーヴェニイーァズ　フラム　オーロオーゥヴァ　ダ　ワアーォ（ド）

今小学生の孫たちはアメリカで生まれました。

My grandchildren, who are now in

マィ　グレアーン（ド）チイーュジュレン　フウ　アァ　ナアーゥィン

elementary school, were born in the United

エーラァメエーンタリィ　スクウーォ　ワァ　ボオーォンニン　ダ　ユナアーィティ（ド）

States.

ステエーィツ

そのため、日本国籍とアメリカ国籍の2つを持っています。

So they have both Japanese and American
ソゥ　　ディ　　ヘアーヴ　ボオーゥス　ジェアーパニイーズ　アン（ド）　　アメエーリカン

citizenships.
スイーリズンシイープス

母はいつも私の子どもたちをとても甘やかしていました。

My mother always spoiled my children too
マィ　　マアーダァ　　オーオウェイズ　スポーィォ（ド）　マィ　チイーュジュレン　トゥー

much.
マアーチ

ニューヨークでは幼稚園がコロナウイルスで封鎖になってしまったみ
たい。

In New York, kindergartens have been shut
イン　ニュウー　ヨオーォク　キイーンダガアーァテンツ　　ハヴ　　ビン　　シャアー（ト）

down due to the coronavirus.
ダアーゥン　デュウー　トゥ　　ダ　コロオーゥナヴアーィアラス

緊急事態宣言が発令されて、孫たちが外で遊べなくてとてもかわいそう。
です。

I feel very sorry for my grandchildren
アィ　フイーョ　ヴエーリィ　サアーリィ　　フォ　　マィ　　グレアーン（ド）チイーュジュレン

because they can't play outside since the state
ビコオーズ　　　ディ　　キェアーン（ト）プレエーィ　アーゥトサアーィ（ド）　スインツ　　ダ　ステエーィ（ト）

of emergency has been declared.
オヴ　　ィマアージェンツィ　　ハズ　　ビン　ディクレエーァ（ド）

101

めぐみは旦那さんの転勤で4月からドバイに行くことになりました。

Megumi is going to Dubai in April due to
メエーグミィ　　イズ ゴオーゥィング トゥ　ドゥバアーィ　イン　エーィプロ　デュウー トゥ

her husband's job transfer.
ハァ　　　ハアーズバァンヅ　　ジャアーブ チュレアーンツファ

私もドバイに遊びに行ってみようかな。

I'm thinking of going to Dubai for a visit.
アィム　　　スイーンキンガヴ　　ゴオーゥイン（グ）トゥ　ドゥバアーィ　　フォ　ア　ヴイーズィ（ト）

ワンポイント解説

Australia、Europe、Dubai等の地名、国名などは日本語発音で覚えていると通じないことが多いので、どこを強く発音するのかを注意して、音声を聞きながら発音練習してみてください。

健康について ◉Vol.2_04

私は週に３回、プールで泳ぐのを習慣にしています。

I have a routine of swimming in the pool
アィ　ヘアーヴァ　　ルゥテイーンナヴ　　　スウイーミィングィン　　　ダ　　ブゥーオ

three times a week.
スリィー　　タアーィムスァ　　ウイーク

毎年花粉症に悩まされているので、マスクが手放せません。

I can't let go of my mask because I suffer
アィ　ケアーン(ト)　レエー(ト)　ゴオーゥァヴ　マィ　メアース(ク)　　ビコオーズ　　アィ　サアーファ

from hay fever every year.
フラム　　ヘエーィ　フイーヴァ　　エーヴリ　　ィイーァ

10日後に健康診断に行く予定です。

I am planning to take a health examination
アィアム　　プレエアーニング　　トゥ　テエーィカァ　　ヘエーョス　　イグゼアーミネエーィシュン

in 10 days.
ィン　テエーンデエーィズ

103

塩分を摂りすぎないように、食事に気を付けています。

I am careful about my diet so as not to
アィアム　ケエーァフォ　ァバーゥ（ト）　マィ　ダアーィェ(ト)ソゥ　アズ　ナアー(ト)トゥ

consume too much salt.
カンスュウーム　　トゥー　　マアーチ　　ソオーォト

毎朝１分間の体操を欠かさず続けています。

I do one minute of exercise every morning
ァィ　ドゥ　ワアーン　　ミイーニィラヴ　　エークササアーィズ　エーヴリ　　モオーォニング

without fail.
ウィダアーゥ（ト）　フエーィョ

最近忘れっぽいんです。

I've been forgetful lately.
アィヴ　　ビン　　フォゲエー（ト）フォ　レエーィ（ト）リィ

ウォーキングみたいな軽い運動は脳にもいいから、やってみたらどう？

Light exercise, like walking, is good for the

ラアーィ（ト）　エークササアーィズ　ライ（ク）　ワアーキング　イズ　グウー（ド）　フォ　ダ

brain, so why don't you try it?

ブレエーィン　ソゥ　ワアーィ　ドンユウ　チュラアーィイト

明日は山登りに行ってきます。

I'm going to go mountain climbing

アィム　ゴオーウイング　ゴオーゥ　マアーゥントゥン　クラアーィミィング

tomorrow.

トゥマアーロゥ

張り切りすぎてけがをしないように気を付けてね。

Be careful not to get injured by overexertion.

ビィ　ケエーァフォ　ナアー（ト）トゥ　ゲエー（ト）イーンジャァ（ド）　バィ　オーゥヴァィグザアーシュン

健康に関する話題も全世界共通なので、言えるようにしておくとよいと思います。その際に、単に「〜という持病があります」と言うだけでなく、「健康のために具体的にこんなことをやっています」というポジティブな面の会話も用意しておくとよいです。

先日はお忙しい中、お会いできて嬉しかったです。

It was a pleasure to meet you the other day,
イッ(ト) ワズァ　　プレエージャ　　トゥ　　ミイーチュ　　ディ　　アーダァ　デエーィ

despite your busy schedule.
ディスパアーィ(ト)ユア　　ビイーズィ　　スケエージュウォ

つまらないものですが。

Here is a little something for you.
ヒァ　　イズァ　リイーロ　　サアームスィング　　フォユ

これは京都へ旅行した時のお土産です。

It is a souvenir from my trip to Kyoto.
イリズァ　　スーヴェニイーャ　　フラム　　マィ　チュリイー(プ) トゥ キョオーウトゥ

約束の時間に間に合わず、申し訳ありませんでした。

I'm sorry I was late for the appointment.
アィム　サアーリィ　アィ　ワズ　レエーィ(ト) フォ　ディ　アポオーィン(ト)メント

お嬢さんのご結婚、本当におめでとうございます。

Congratulations on your daughter's
カングレアーチャレエーィシュンヅ　　アンニュァ　　ドオーラァズ

marriage.
メアーリィジ

安産を祈っています。

Wishing you a safe delivery.
ウイーシンギュァ　　　セエーィフ　デリイーヴァリィ

初孫が生まれるお気持ちはいかがですか？

How do you feel about having your first
ハアーゥ　　　　ドゥユ　　　フイーラバアーゥ（ト）　　ヘアーヴィンギュァ　　　フアーァス（ト）

grandchild?
グレアーン（ド）チャアーィォド

私の孫は目に入れても痛くないほど可愛いです。

My grandchild is the apple of my eye.
マィ　　　グレアーン（ド）チャアーィディズ　　ディ　　エアーポラヴ　　マィ　　アーィ

赤ちゃんが無事に生まれたとのことで、とても嬉しいです。

I'm really excited that your new baby arrived
アィムダッ（ト）　リイーァリィ　イクサアーィティ（ド）　ダッチュア　　　ニュウー　ベエーィビィァラアーィヴ（ド）

happy and healthy.
ヘアーピィ　　　アン　　ヘエーォスィ

最近お会いできません。いかがお過ごしでしょうか？

I haven't seen you lately. How are you doing?
アィ　ヘアーヴン（ト）　　スイーニュ　　レエーィ（ト）リィ　ハゥ　　アァ　　ユ　　ドゥーィング

お元気そうで何よりです。

I'm glad to hear you're doing well.
アィム　グレアー(ド)トゥ　ヒイーァ　　ユゥァ　　ドゥーィング　ウエーォ

コロナウイルスが収まったら、是非またお会いしたいと思っております。

I hope to see you again when the spread of
アィ　ホーゥ(プ)　トゥ　スイー　　ユ　　アゲエーン　　ウエン　　ダ　　スプレエーラヴ

the coronavirus has subsided.
ダ　　コロオーゥナヴアーィァラス　　ハズ　　サブサアーィディド

ご主人の急逝について、お悔やみ申し上げます。
きゅうせい

We would like to express our deepest
ウィ　　ウゥ(ド)　　ラアーィ(ク)トゥ　　イクスプレエースァァ　　デイーペス(ト)

sympathies for the sudden death of your
スイームパスィズ　　フォ　　ダ　　サアー(ド)ン　　デエーサヴュァ

husband.
ハアーズバンド

108

あなたが（病気から回復して）すぐ戻ってくることが待ちきれません。

None of us can wait to have you back
ナアーンァヴァス　　キャン　ウエーィ（ト）トゥ　　ヘアーヴュ　　ベアー（ク）

with us soon.
ウィダス　　スウーン

もし私に何か力になれることがありましたら、何なりとおっしゃってください。

If there is anything I can do to help,
ィフ　デァィズ　　　エーニスィング　アィ　キャン　ドゥー　トゥ　ヘエーョ（ブ）

please let me know.
プリイーズ　レエー（ト）ミィ　　ノオーゥ

お忙しいこととは思いますが、どうぞご自愛くださいね。

I know you are busy,
アイ　ノオーゥ　　ユ　　アァ　ビイーズィ

but please take care of yourself.
バッ(ト)　ブリイーズ　テエーィ(ク)　ケエーァァヴュァセエーョフ

何かと心をくだいてくださって、深く感謝しています。

I am deeply grateful for all the kindness you
アィアム　　デイープリィ　グレエーィ(ト)フォ　フォ　オーォ　ダ　カアーィン(ド)ネス　　ユ

have shown me.
ハヴ　　　ショオーゥン　　ミィ

「私の孫は目に入れても痛くないほど可愛いです。」というのは日本的な表現で、敢えて英訳すると、"My grandchild is the apple of my eye."（私の孫は私の目のリンゴです。）が近いかと思います。"the apple of one's eye" は目のリンゴ＝瞳孔という意味で、いつまでも見ていたい（意訳）というような意味になります。

Chapter 5

職場での会話

この商品のご購入はおひとり様1点限りです。

The purchase of this product is limited to
ダ　　　パアーチェサヴ　　ディス　プラアーダ(ク)　ティズ　リイーミィリ(ド)　トゥ

one item per person.
ワアーン　アーィテム　パァ　パアースン

こちらに並んでください。

Please line up here.
プリイーズ　ラアーィンナアー(プ)　ヒイーァ

ここで両替をすることはできません。

It is not possible to exchange money here.
イリィズ　ナアー(ト)　　パアーサボ　　トゥ　イクスチエーィンジ　　マアーニィ　ヒイーァ

新商品の試食はいかがですか。

How about tasting new products?
ハウ　　　アバアーゥ（ト）テエーィスティング　ニュウー　　プラアーダア（ク）ツ

有名な酒蔵の新酒です。

It is a new sake from a famous sake brewery.
イリズァ　　　ニュウー　サアーケェ　　フラムァ　　　フエーィマス　　サアーケェ　　ブルーァリィ

飲んでみませんか。

Would you like to try it?
ウゥディュ　　　　　ラアーィ（ク）　トゥ　チュラアーィ　ィ（ト）

なにかお探しですか？

Are you looking for something?
アァユ　　　　ルウーキング　　フォ　　サアームスィング

こちらが試着室です。

This is the fitting room.
ディスィズ　　　ダ　　フィーリィング　　ルウーム

クレジットカードはビザ、マスター、アメックスが使えます。

We accept Visa, Master, and Amex credit
ウィ　アクセエー(プ)(ト)　ヴィーザァ　メアースタァ　　アン　エアーメクス　クレーディッ(ト)

cards.
カアーヅ

ペイパルやスクエアでもお支払いいただけます。

You can also pay by PayPal or Square.
ユ　キャン　オーオソゥ　ペエーィ　バイ　ペエーィペアーオ　オァ　スクエーァ

これは英語のメニューです。

This is the menu in English.
ディスィズ　　ダ　メエーニュ　イニ　イーングリッシ

先頭にお並びの2名様、中にお入りください。

The first two in line, please come inside.

ダ　　フアース(ト)　トゥーィン　ラアーィン　プリイーズ　　カアーミンサアーィド

商品を入れるかごは、あちらにご用意しています。

Baskets for products are available over there.

ベアースケッツ　　フォ　　プラアーダ(ク)ツ　　アァ　　アヴエーィラボ　オーゥヴァ　デェーア

このお饅頭の賞味期限は、今日から5日後です。

The best-before date for these buns is five

ダ　　ベエース(ト)　ビフオーォ　デエーィ(ト)　フォ　デイーズ　　バアーンズィズ　フアーィヴ

days from today.

デエーィズ　　フラム　　トゥデエーィ

このアップルパイは防腐剤を使用していませんので、今日中にお召し上がりください。

This apple pie is preservative-free and you

ディス　　エアーポ　パアーィ　イズ　　プリザアーヴァティヴ　　フリイー　　アン　　ユ

should eat it today.

シュ(ド)　　イーリィ(ト)　トゥデエーィ

この商品は非常に壊れやすいので気を付けてお持ち帰りください。

This product is very fragile, so please take it

ディス　　　プラアーダ(ク)ティズ　ヴエーリィ　フレアージョ　　ソウ　　プリイーズ　テエーィキッ(ト)

home with you with care.

ウィデュ　　　ウィス　　ケエーア

これらの商品の値段は現在タイムセールで20%オフになっています。

The prices of these items are currently 20%

ダ　　プラアーィスァヴ　デイーズ　　アーィテムズアァ　　カアーレン(ト)リィ　トゥエーニィ パアセエーソ(ト)

off in a time sale.

アーフ　　ィンナ　　タアーィム　セエーィョ

この人形はお買い得品です。お土産にいかがですか？

This doll is a bargain. How about buying it

ディス　　ドオーリイズア　　バアーァゲン　　　ハウ　　アパアーゥ(ト)　　バアーィィンギィ

as a souvenir?

ラズア　　スーヴェニイーャ

お買い求めいただいたお品の海外への配送も承ります。

We can also ship your purchased items

ウィキャン　　オーオソゥ　　シイーピュア　　　パアーチェス(ト)　　アーィテムズ

overseas.

オーゥヴァスイーズ

この匂い袋は現在3つしか残っていません。明日の午後にまた入荷します。

There are currently only three of these scent
デァ　　アァ　　カアーレン(ト)リィ　オーゥンリィ　スリィー　アヴ　ディーズ セエーン(ト)

bags left.
ベアーグズ　レエーフ(ト)

They will be back in stock tomorrow
ディ　ウィョ　ビィ　ベアーキィン　スタアー(ク)　　トゥマアーロゥ

afternoon.
ェアーフタヌウーン

どうぞお好きな席におかけください。

Please have a seat at the table of your choice.
プリイーズ　　ヘアーヴァ　スイータッ(ト)　ダ　　テエーィボラヴュァ　　チョオーィス

お会計は、入り口近くのカウンターでお願いします。

Please pay your bill at the counter near the
プリイーズ　ペエーィ　ユァ ビィーォ　ァ(ト)　ダ　　カアーゥンタァ　ニイーァ　ディ

entrance.
エーンチュランツ

117

当店のポイントカードを持っていらっしゃいますか？

Do you have our loyalty card?

ドゥユ　　　　　ヘアーヴァァ　　　ロオーィヨティ　カアーァ（ド）

キーホルダーをたくさん買っていただき、ありがとうございます。

Thank you for buying so many key chains.

セアーンキュ　　　　　フォ バアーィイング　　ソオーゥ　メエーニィ　　キイー　チェエーィンツ

1個おまけしますね。

I'll give you an extra one.

アィョ　　　ギイーヴュァン　　　　エークスチュラ　ワアーン

当店は中が狭いので、一度に10人しか入れません。

Our store is small inside, so we can only

アゥァ　　ストオーアィズ　スモオーリィンサアーィ（ド）　　ソゥ　　ウィ　キャン　オーゥンリィ

accommodate 10 people at a time.

ァカアーマデエーィ（ト）　　テエーン　ピイーポォ　　アラァ　タアーィム

ワンポイント
解説

日本人の親切で丁寧な接客が、観光地として日本が外国人に人気のある
理由のひとつだと思います。しかし発音が悪いというだけで、本来の日
本人の丁寧な接客力が発揮できないのはもったいないですね。外国人に
わかりやすい英語を話せるように、本書でどこを強く発音したらよいか
（どこを叩いたらよいか）という法則をマスターして、どんな文章でも
上手に言えるように練習しましょう。

118

どちら様でしょうか？

May I ask who's calling?

メエーィ　アィ　エアース(ク)　フウーズ　コオーリング

すみません、もう少しゆっくり話してもらえますか？

I'm sorry, could you speak a little slower?

アィム　サアーリィ　クデュユ　スピイーカァ　リィーロ　スロオーゥヮァ

おはようございます、「レストラン田村」の田村です。

Good morning, this is Tamura from

グゥー(ド)　モオーォニング　ディスィズ　タァームラァ　フラム

Restaurant Tamura.

レエースチュラン(ト)　タァームラァ

どのようなご用件でしょうか？

How may I help you?

ハアーォ　メィ　アィ　ヘエーォピュ

ご希望のコースはどちらですか？

Which course do you want?
ウイーチ　　コオーオス　　ドゥユ　　ワアーン(ト)

食べられないものはありますか？

Is there anything you can't eat?
イズ　デア　　エーニスィング　　ユ　ケアーン(ト) イート

もし個室がご希望でしたら、ご用意ができます。

If you would like a private room, we can
イフユ　　ウゥ(ド)　ラアーィカァ ブラアーィヴァ(ト)　ルウーム　　ウィ キャン

arrange that for you.
アレエーィンジ　デアー(ト)　フォ　　ユ

あいにくその日は予約でいっぱいです。

Unfortunately, we are fully booked for that
アーンフオーチュナ(ト)リィ　　ウィ　アァ　フウーリィ　ブウー(ク)(ト)　フォ デアー(ト)

day.
デエーィ

翌日ですと、ご予約を承ることができます。

The next day, we will be able to accept your
ダ　　ネエークス(ト) デエーィ　　ウィ　ウィョ　ビィ　エーィボ　トゥ　アクセエー(プ)(ト)ユア

reservation.
レエーザヴエーィシュン

はい、午後10時に料亭「花かご」までお車を２台配車致します。

Yes, two cars will be dispatched to the
ィエース　トゥー　カアーァズ　ウィョ　ビィ　ディスペアーチ(ト)　トゥ　ダ

restaurant "Hanakago" at 10 p.m.
レエースチュラン(ト)　　ヘアーカアーゴゥ　　ァ(ト) テエーン ビィー エーム

申し訳ございませんが、担当の山本が只今席を外しております。

I'm afraid Yamamoto, the person in charge,
アィムァフレエーィ(ド)　ヤアーマァモオートォゥ　　ダ　　パアースンニィン　　チャアージ

is not available at the moment.
イズ　ナアー(ト)　　アヴエーィラボ　　ァ(ト)　ダ　　モオーゥメント

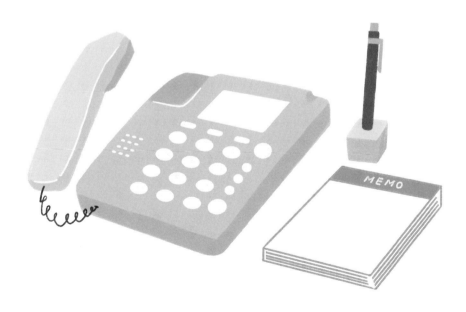

山本から折り返しお電話させていただいてよろしいでしょうか？

May I have Yamamoto call you back?

メエーィ　フィ　ヘアーヴ　ヤアーアマァモオートォゥ　　コーリュ　　ベアーク

当店はランチタイムとディナータイムのみの営業です。

Our restaurant is open only during lunch

アゥァ　　レエースチュランティズ　　オーゥプン　オーゥンリィ　デュウーァリング　　ラアーンチ

and dinner hours.

アン　　デイーナァ　　アーゥァズ

相手の表情が見えない電話で英語を話す方が、対面よりもハードルが高いと思われる方もいらっしゃると思います。そんな時にしっかり叩いて英語を発音すると、相手に伝わる英語を話すことができます。また、そのように正しい発音で音読していると、英語も非常に聞き取りやすくなりますので、是非何度も練習してみてください。自信がなくなるとつい叩きが弱くなって相手に伝わりにくい英語になりがちなので注意しましょう。

「しっかり叩く」のがコツ

May I have Yamamoto call you back?

コラム 生徒さんとのエピソード②

「あなたは口の筋肉が弱くて口が開かないから、英語を上手に話せるようになりません」

私の生徒Bさんは、英語の学校に通っている時にこのように言われたそうです。

Bさんはアメリカに移住予定で英語が必要だったことから、英語の学校に通い始めたそうです。

しかし、なかなか英語のスピードについていけず、色々な英語の学校を転々としていたそうなのですが、最終的にある学校の先生から冒頭のように言われたそうです。

言われた時はとてもショックで、英語を諦めていたそうですが、私のメルマガを見て、「この方法なら私でもできるかもしれない」と思われたらしく、私の教室の体験レッスンを受講されました。

私は「口の筋肉が弱くて口が開かないから英語が話せない」というのは単なる勘違いだとわかっていたので、どうして日本人は上手に発音できないのか、日本人と英語のネイティブスピーカーで音を作る構造がどう違うかということを説明しました。

そして、実際にその理論を基にちょっとした発音練習をしたところ、口は大きく開いて一瞬でとても上手に発音できるようになりました（笑）。

そして「この発音で英語を音読していけば英語が話せるようになりますよ」とお伝えすると、非常に納得されていました。

Bさんのように間違った方法で英語を勉強しているだけなのに、その人の能力が元々ないと勘違いしてしまう方がとても多いので、注意が必要です。

Chapter 6

旅行先での会話

観光目的で来ました。

I came here for sightseeing.
アィ　ケエーィム　　ヒァ　　フォ　サアーィ（ト）スイーィング

この国に1週間滞在する予定です。

I am planning to stay in this country for a
アィアム　　　プレアーニング　　トゥ　ステエーィ　イン　ディス　カアーンチュリィ　　フォア

week.
ウイー（ク）

9月30日に日本に帰国する予定です。

We are planning to return to Japan on
ウィ　アァ　　プレアーニング　　トゥ　　リタアーン　　トゥ　ジェペアーン　アン

September 30th.
セプテエームバァ　　サアーリィエス

スーツケースの中には洋服と雑貨が入っています。

Clothes and miscellaneous goods are
クロオーズ　　アン　　ミイーサレエーィニアス　　グウーヅァ

contained in the suitcase.
カンテエーィンディンダ　　スウー（ト）ケエーィス

アメリカに来るのはこれで2回目です。

This is the second time I have come to the
ディスィズ　ダ　セエーカン（ド）　タアーィム　アィ　ハヴ　カアーム　トゥ　ダ

United States.
ユナアーィティ（ド）ステエーィツ

126

申告するものはありません。

I have nothing to declare.
アイ　ヘアーヴ　　ナアースィ　　トゥ　　デクレエーァ

ワインを3本持っています。

I have three bottles of wine.
アイ　ヘアーヴ　　スリイー　　バアーロォザヴ　　ワアーイン

どこで両替できますか？

Where can I exchange money?
ウエーァ　　キャナィ　　イクスチエーインジ　　マアーニィ

1万円をドルに両替お願い致します。

Please exchange 10,000 yen into dollars.
プリイーズ　　イクスチエーインジ　　テエーンサアーゥズン　ィエーン　ィントゥ　　ダアーラァズ

小額紙幣を混ぜてください。

Please mix small bills.
プリイーズ　　ミイークス　スモオーォ　ビイーョズ

私の便が欠航になりました。代わりの便を予約したいのですが。

My flight has been canceled.
マィ　フラーィ（ト）　ハズ　ビン　ケアーンツォ（ド）

I would like to book an alternative flight.
アィ　ウゥ（ド）　ラアーィ（ク）トゥ　ブゥーカァン　オタアーナティヴ　フラアーィ（ト）

この自動チェックイン機の使い方を教えてください。

How do I use this self-service check-in kiosk?
ハゥ　ドゥアィ　ユゥーズ　ディス　セエーョフ サアーヴィス　チエーキイーン　キイーァスク

預け入れ荷物の重さが制限を超えてしまいました。

The weight of my checked baggage exceeds
ダ　ウエーィラヴ　マィ　チエー（ク）（ト）　ベアーギィジ　ィクスイーツ

the limit.
ダ　リイーミィト

128

超過手荷物料金はどこで支払うのですか？

Where do I pay the excess baggage charge?
ウエーァ　　ドゥアィ　ペエーィ　ディ　エクセエース　ベアーギィジ　チャアーアジ

赤ちゃんの孫息子がいるので、赤ちゃん用ベッドを使いたいのですが。

I have a baby grandson and would like to use
アィ　ヘアーヴァ　ペエーィビィ グレアーン（ド）サアーン　アン　　ウゥ（ド）　ラアーィ（ク）トゥ ユウーズ

the bassinet.
ダ　　ベアーサネエー（ト）

※孫娘は **grand daughter**
グレアーン（ド）　ドオータア

これらの薬は日本で処方された薬です。

These are medications prescribed in Japan.
デイーズ　　アァ　メエーディケエーィシュンズ　　プレスクラアーィブティン　　ジャペアーン

これが主治医が書いた薬剤携行証明書です。

This is the certificate of carrying drugs
ディスィズ　　ダ　　サァテイーフィカツタヴ　　ケアーリィング　ジュラアーグズ

written by my doctor.
リイー（ト）ン　バィ　マィ　ダアークタァ

ワンポイント
解説

税関で聞かれるような質問は正しい発音で音読することで、相手の英語が非常に聞き取りやすくなりますから効果絶大です。音読は細かい発音の違いよりも叩く箇所で音を長く、音の高低差を付けてはっきり発音することを意識してください。それだけで英語が格段に聞き取りやすくなります。

私のシートはどこですか？

Where is my seat?
ウエーァィズ　　　マィ　スィー（ト）

お水をいただけますか？

Can you give me some water?
キャニュ　　ギイーヴ　　ミィ　　サム　　ワアーラァ

ベジタリアンメニューはありますか？

Do you have a vegetarian menu?
ドゥユヘアーヴァ　　　ヴエージァテエーリァン　　メエーニュ

トレイを下げていただけませんか？

Could you take these dishes away, please?
クゥ（ド）ユウ　　テエーィ（ク）デイーズ　　デイーシィズァウエーィ　　プリイーズ

ヘッドホンが作動しないのですが。

My headset doesn't seem to work.
マィ　　ヘエー（ド）セエー（ト）ダズン（ト）　　スイーム　　トゥ　　ワアー（ク）

隣の人が騒がしいので席を変えることはできませんか？

Is it possible to change seats because the
イズィ(ト)　バァーサボ　トゥ　チエーィンジ　スイーツ　ビコオーズ　ダ

neighbors are noisy?
ネエーィバァズァァ　　ノオーィズィ

少し寒いので毛布をお借りできませんか？

Can I borrow a blanket because it's a little
キャナィ　　バアーロゥァ　　ブレアーンキィ(ト)　ビコオーズ　　イッツァ　リイーロ

chilly?
チイーリィ

（後ろの席の人に）シートを少し倒してもいいですか？

Is it okay to tilt the seat a little?
イズィロ　オーゥケエーィ　トゥ　テイーョ(ト)　ダ　　スイー(ト)ァ　リイーロ

（トイレに立つ時に）前を通ってもいいですか？

Is it okay to pass in front of you?
イズィロ　オーゥケエーィトゥ　　ペアースィン　　　フラアーンタヴュ

この便の到着時刻は予定よりも遅いです。

This flight is arriving later than scheduled.
ディス　　フラアーィティズ　アラアーイヴィング　レエーィラァ　ダン　　スケエージュウォ(ド)

131

乗り継ぎの便に間に合わなくなりそうです。

I'm afraid I won't be able to catch my

アィムァフレエーィ（ド）ァィ　ウオーゥン（ト）　ビィ　エーィボォ　トゥ　　ケアーチ　　マィ

connecting flight.

コネエー（ク）ティング　　フラアーィ（ト）

出入国カードと税関申告書をください。

Could you give me an immigration card and

クジュ　　　　　ギィーヴ　　　ミィァン　　　イーミィグレエーィシュン　　　カアーァダンナァ

a customs declaration form, please?

カアースタムズ　　デエークラレエーィシュン　　フオーム　　　プリイーズ

シートモニターに何も映りません。

Nothing shows up on the seat monitor.

ナアースィン　　　ショオーズアープァン　　ダ　スイー（ト）マアーニィタァ

機内販売はいつ始まりますか？

When will the in-flight shopping start?

ウエーン　　　ウィョダ　　　イーン　　フラアーィ（ト）シャアーピング　　スタアーァ（ト）

ビールが飲みたいのですが、おいくらですか？

I'd like to have a beer. How much is it?

アィ（ド）ラアーィ（ク）トゥ　ヘアーヴァ　ビイーァ　　ハウ　　マアーチ　イーズィト

132

オレンジジュースをください。氷は入れないでください。

Can I have some orange juice? Please do not
キャナィ　　　ヘアーヴ　　　サム　　　アーリンジ　　　ジュウース　　　プリイーズ　　　ドゥ　ナアー（ト）

add ice.
エアー（ド）アーィス

氷抜きでお願いします。（＝氷はなしでお願いします。）

No ice, please.
ノオーゥ アーィス　　プリイーズ

ワンポイント
解説

私の生徒さんも発音を習う前は、飛行機での英会話で苦労された方が多いようです。例えば、寒かったので温かいコーヒーを（hot coffee）を頼んだら冷たいコーラ（coke）が出てきたとか、お水（water）を何度言い直しても通じないので、トラウマになって飛行機でお水を頼めなくなってしまったというエピソードを数多く聞きました。相手に通じない時は必ずと言っていいほど、カタカナ発音になって、強く発音すべき所（叩くべき所）を弱く発音しています。そのような経験をしないためにも、叩きを意識して是非何度も練習してみてください。

12丁目37番地のパークハイアットホテルまでお願いします。

We are going to Park Hyatt Hotel, 37 12th
ウィ　　アァ　ゴオーウィング　トゥ　パアーァ(ク)　ハアーィアッ(ト)　ホゥテエーョ　　サアーリィセエーヴントウェーオフス

Street.
スチュリイート

....

手荷物があるので、トランクに入れたいです。

I have my luggage, so I would like you
アィ　ヘアーヴ　マィ　　ラアーゲッジ　　ソゥ　アィ　　ウゥ(ド)　　　ラアーィキュ

to put it in the trunk.
トゥ　プゥーリ(ト)イン　　ダ　チュラアーンク

....

メーターをつけてもらえますか？

Can you start the meter?
キャニュ　　　スタアーァ(ト)　ダ　　ミイーラァ

....

クレジットカードで支払えますか？

Do you accept credit cards?
ドゥユ　　　アクセエー(プ)(ト)　クレエーディ(ト)　カアーァヅ

....

ありがとう。よい一日を。

Thank you. Have a nice day.

セアーンキュ　　　ヘアーヴァ　　ナアーィス デエーィ

おつりはとっておいてください。

Please keep the change.

プリイーズ　キイー（プ）　ダ　　チエーィンジ

セントラルホテルまで、どのくらい時間がかかりますか？

How long does it take to get to the Central

ハアーゥ　ロオーング　ダズィ（ト）テエーィ（ク）トゥ　　　　ダ　　セエーンチュロ

Hotel?

ホゥテエーヨ

料金はどれくらいかかりますか？

How much will it cost?

ハゥ　　マアーチ　ウィリィ（ト）コオースト

アメリカには2回来たことがありますが、ここに来るのは初めてです。

I've been to America twice, but this is the

アィヴ　　　ビン　　トゥ　　アメエーリカ　　トゥゥアーィス バッ（ト）ディスィズ　　ダ

first time here.

フアース（ト）タアーィム　ヒィア

セントラルホテルの近くで、地元の料理が食べられるお店はありますか？

Are there any restaurants near the Central
アァ　　デア　　エーニィ　　レエースチュラン（ト）　　ニイーァ　　ダ　　セエーンチュロ

Hotel where I can eat local food?
ホゥテエーョ　　ウエア　　アィ　キャン　イー（ト）ロオーゥコ　フゥード

そのお店では地ビールが飲めますか？

Does the restaurant serve local beer?
ダズ　　ダ　　レエースチュラン（ト）　　サアーヴ　ロオーゥコ　ビイーァ

JFK空港までお願いできますか？

Can you take us to J F K Airport, please?
キャニュ　　　テエーィカス　　トゥ ジェエーィエーフケエーィ　　エーァポオーォ（ト）プリイーズ

日本から来ました。飛行機で10時間くらいかかりました。

I came from Japan. It took about 10 hours
アィ　ケエーィム　　フラム　　ジャペアーン　　イッ（ト）トゥーカァバアーゥ（ト）　テエーン　アーゥァズ

by plane.
バィ　プレエーィン

（アメリカにて）今年のサマータイムはいつから始まりますか？

When does daylight saving time start this

ウエーン　　　ダズ　　デエーィラアーィ(ト) セエーィヴィング　タアーィム　スタアーァ(ト) ディス

year?

ィイーア

この辺りは朝と夕方に交通渋滞が発生するのですか？

Is there traffic congestion in this area in the

イズ　　デア　　チュレアーフィッ(ク) コンジェエースチョン　イン　ディス　エーリァ　　インダ

morning and evening?

モオーォニングァン　　　イーヴニング

ワンポイント解説

タクシーで「○○までお願いします」と言いたい時、"We are going to ○○." という表現をよく使います。直訳すると「私たちは○○まで行きます」という意味ですが、それで行き先を伝えたことになるので、機会があったら是非使ってみてください。ちなみに10年くらい前にタクシーに乗った時に、「最近はチップをくれない人が増えた」と運転手さんが嘆いていたので、小銭を用意しておいてチップを渡すと喜ぶと思います。

チェックイン予定時間よりも早く着きそうなのですが。

I'm likely to arrive earlier than the scheduled
アイム　ラアーィクリィトゥ　アラアーィヴ　アーリィァ　　ダン　　ダ　　スケージュウォ（ド）

check-in time.
チエーキイーン　　タアーィム

チェックインをお願いします。

I'd like to check in.
アィ（ド）ラアーィ（ク）トゥ　　チエーキイーン

モーニングコールを7時にお願いできますか？

Can I have a wake-up call at 7 o'clock?
キャナィ　　　ヘアーヴァ　　ウエーィカアー（ブ）　コーラッ（ト）セエーヴン ァクラアーク

ちょっと外出してきます。

I will go out for a while.
アィ　ウィヨ　ゴオーゥ アーゥ(ト) フォア　　ウワーィヨ

チェックアウトをお願いします。

I'd like to check out.
アィ(ド) ラアーィ(ク)トゥ　チエーカアーゥト

チェックアウト後に荷物を預かっていただきたいのですが。

I would like to leave my luggage
アィ　　ウゥ(ド)　　ラアーィ(ク)トゥ　リイーヴ　　マィ　　ラアーギッジ

after check-out.
エアーフタァ　チエーカアーゥト

請求書に誤りがあると思うのですが。

I think there is an error in the invoice.
アィ　スイーンク　　　ディァイズアン　　エーラァ　イン　ディ　イーンヴォイス

よい滞在になりました。ありがとう。

It was a good stay. Thank you.

イッ（ト）ワズァ　　グウー（ド）ステエーィ　　セアーンキュ

こちらは宿泊料金以外にリゾートフィーを請求しますか？
1日当たりおいくらですか？

Do you charge a resort fee in addition to the

ドゥユ　　　　チャアーァジァ　　リゾオー（ト）フイー　　インナァデイーシュン　　トゥ　　ダ

room rate, and how much is it per day?

ルウーム　　レエーィ（ト）アン　　　ハウ　　　マアーチ　イズィ（ト）パアー　デエーィ

（電話で）今、空港に着きました。

I've just arrived at the airport.

アィヴ　　ジャアース（ト）アラアーィヴダァ（ト）　ディ　　エーァポオーオト

深夜なので、迎えの車をよこしてくれませんか？

It's late at night. Can you please send a car to

イッツ　レエーィタァ（ト）ナアーィ（ト）　　　キャニュ　　　プリイーズ　　セエーンダァ　カアーァ トゥ

pick me up?

ピイー（ク）　ミィ　アープ

アーリーチェックインができますか？

Can I check in early?

キャナィ　　チェエーキイーン　　アーリィ

追加の料金はおいくらですか？

How much is the additional charge?

ハゥ　　マアーチ　イズ　ダ　　アデイーショノ　　チャアージ

外出する時は、鍵をフロントに預けるのですか？

Do I have to leave my key at the front desk

ドゥ　アィ　ヘアーフ　トゥ　リイーヴ　マィ　キイー　ァ(ト)　ダ　　フラアーン(ト)デエース(ク)

when I go out?

ウエンナィ　　ゴオーゥアーゥト

今晩空いている部屋が2つありますか？

Are there two rooms available this evening?

アァ　　デア　　トゥー　　ルウームズ　　ァヴエーィラボ　　ディス　　イーヴニング

こちらには車いすに対応したお部屋がありますか？

Are there any wheelchair-accessible rooms

アァ　　デア　　エーニィ　　ウイーョチェエーァ　　アクセエーサボ　　ルウームズ

here?

ヒィア

駐車場は使えますか？　料金は宿泊費に含まれますか？

Can I use the parking lot? Is the fee

キャナィ　　ユウーズ　ダ　　パアーァキング　ラアート　イズ　ダ　　フィー

included in the accommodation fee?

インクルウーディディン　　ディ　　ァカアーマデエーィシュン　　フィー

508号室の杉本です。ルームサービスをお願いします。

I'm Sugimoto from room 508.

アィム　スウーギィモオートォウ　　フラム　　ルウーム　フアーィヴオーゥエーィト

I would like to order room service.

アィ　　ウゥ（ド）ラアーィ（ク）トゥ　　オーダァ　ルウームオーゥ　サアーヴィス

日本へ絵葉書を送りたいのですが、切手はどこで買えますか？

I want to send postcards to Japan.

アィ　ウアーン（ト）トゥ　セエーン（ド）ポオーゥス（ト）カアーァヅ　トゥ　ジェペアーン

Where can I buy stamps?

ウエーァ　　キャナィ　バアーィ　ステアームプス

トイレの水が止まりません。

The water in the toilet won't stop.

ダ　　ウワーラァイン　　ダ　トオーィレッ(ト) ウオーゥン(ト) スタアープ

arrive（到着する）はrの発音なのですが、間違えてlで発音するとalive（生きている）という全く違う意味の単語になってしまうので注意してください。部屋番号は508号室では「フアーィヴ　オーゥ　エーィト」という感じで3つとも叩いて発音するので注意してください。"0"は「ズイーロゥ」（ゼロ）が正しい発音ですが、"0"がアルファベットの"O"に似ているので、アルファベットの"O"「オーゥ」と発音する人が多いです。

4名分の席は空いていますか？

Do you have any tables available for four
ドゥユ　　　ヘアーヴェニィ　テエーィボズ　アヴエーィラボ　フォ　フオーォ

people?
ピイーポ

7時に山下由香の名前で予約しています。

We have a reservation at 7 o'clock under the
ウィ　　ヘアーヴァ　レエーザヴエーィシュン　ァ(ト) セエーヴンァクラアー(ク)　アーンダ　ダ

name of Yuka Yamashita.
ネエーィムァヴ　ユウーカァ　ヤアーマァシイータ

ドレスコードはありますか？

Do you have any dress code?
ドゥユ　　　ヘアーヴェニィ　ジュレエース　コオーゥド

（食べきれなかった）これを持ち帰ることは可能ですか？

Is it possible to take it home?
イズィッ(ト)　パアーサボ　　トゥ　テエーィキィッ(ト)　ホオーゥム

お勧めはなんですか？

What do you recommend?
ワアー（ト）　　　ドゥユ　　　　レエーコメエーンド

この料理は辛いのですか？

Is this dish spicy?
イズ　ディス　ディーシ　スパアーィスィ

焼き方はミディアムでお願いします。

I'd like it medium, please.
アィ（ド）ラアーィキッ（ト）　メイーディアム　　　プリイーズ

この料理に合うワインはありますか？

Do you have a wine that goes well with this
ドゥユ　　　　　ヘアーヴァ　　ウワーィン　ダッ（ト）ゴオーゥズ　ウエーォ　　　ウィディス

dish?
ディーシ

145

お会計をお願い致します。

Can I have my check, please?
キャナィ　　ヘアーヴ　　マィ　　チエー（ク）　　プリイーズ

料理の味もスタッフのサービスも期待した以上のものでした。

The taste of the food and the service of the
ダ　　テエーィスタヴ　　ダ　　フウーダン　　ダ　　サアーヴィサヴ　　ダ

staff were beyond my expectations.
ステアーフ　　ワァ　　ビヤアーン（ト）　　マィ　　エークスペ（ク）テエーィシュンヅ

コーヒーのお代わりをください。

Can I have another cup of coffee, please?
キャナィ　　ヘアーヴァナアーダァ　　カアーパヴ　　カアーフィ　　プリイーズ

パンのお代わりをしたいのですが。

Can I have some more bread?
キャナィ　　ヘアーヴ　　サム　　モア　　ブレエー（ド）

このコース料理についてくるパンは、お代わりできますか？

Can I have a second helping of the bread
キャナィ　　ヘアーヴァ　　セエーカン（ド）　　ヘエーョピングァヴ　　ダ　　ブレエー（ド）

that comes with this course?
ダッ（ト）　　カアームズ　　ウィディス　　コオーオス

飲み物のメニューをいただけませんか？

Can I have a drink menu, please?
キャナィ　　　ヘアーヴァ　ジュリイーン（ク）メエーニュ　　プリイーズ

私も同じものをいただきます。

I'll have the same, please.
アィョ　　ヘアーヴ　　ダ　　セエーィム　　プリイーズ

ワンポイント解説

英語で「お会計お願いします」という際は、簡単に言いたい場合は
Check, please?だけでも大丈夫です。レストランの店内は大きな声が
出しにくいので、もしジェスチャーで「お会計をお願いします」という
意思を表示する時は、日本だと指で✖マークを作ると思いますが、欧米
の場合ペンでサインしているジェスチャーをします。

閉館時間は何時ですか？

What time is the closing time?
ワアー（ト）　タアーィム　イズ　ダ　クロオーゥズィング　タアーィム

....

大人2枚ください。

Please give me two adults.
プリィーズ　ギイーヴ　ミィ　トゥー　エアーダオツ

....

入場料はおいくらですか？

How much is the admission?
ハゥ　　マアーチ　イズ　ディ　ァ（ド）ミイーシュン

....

来週の火曜日は開いていますか？

Is it open next Tuesday?
イズィロ　オーゥプン　ネエークス（ト）テュウーズデエーィ

....

日本語のパンフレットはありますか？

Do you have brochures in Japanese?
ドゥユ　　ヘアーヴ　　プロオーゥシャズィン　　ジェアーパニイーズ

....

この建物はいつ建てられたのですか？

When was this building built?
ウエーン　　ワズ　　ディス　ビイーョディングス　ビイーョ（ト）

....

日本語の音声案内はありますか？

Is there any voice guidance in Japanese?

イズ　デア　エーニィ　ヴォーィス　ガアーィダンツィン　ジェアーパニィーズ

コインロッカーはどこにありますか？

Where can I find coin lockers?

ウエーァキャナィ　ファーィン(ド)　コオーィン　ラアーカァズ

館内で写真を撮っても大丈夫ですか？

Can I take pictures inside?

キャナィ　テエーィ(ク)ピイー(ク)チャズィンサアーィ(ド)

ピカソの展示品はどこですか？

Where is the Picasso exhibit?

ウエーァ　イズダ　ピカアーソゥ　エグズイービィト

ガイド付きツアーに参加したいです。

I'd like to take a guided tour.

アィ(ド)　ラアーィ(ク)トゥ　テエーィカァ　ガアーィディ(ド)　トゥーァ

この美術館で最も有名な美術作品は何ですか？

What is the most famous work of art in this

ワアーリズ　ダ　モオゥス(ト)　フエーィマス　ワアーカヴ　アーァ(ト)イン　ディス

museum?

ミュズイーァム

私はモネが一番好きです。

I like Monet the best.

アィラアーィ（ク）　モネエーィ　　ダ　　ベエースト

私はこの美術館でモネの絵画を見るのは2度目です。

This is my second time to see Monet's

ディスィズ　　マィ　セエーカン（ド）タアーィム　トゥ　スイー　　モネエーィズ

paintings in this museum.

ペエーィンティングスィン　　ディス　　ミュズィーァム

あなたの好きな画家は誰ですか？

Who is your favorite painter?

フウーィズユア　　　フエーィヴァリッ（ト）ペエーィンタァ

この博物館にカフェはありますか？

Is there a cafe in this museum?

イズ　　デア　　ァ　キャフェエーィ イン　ディス　　ミュウーズィァム

museum というのは「美術、歴史、科学、文化等を一般の人に公開する建物」という意味なので、美術館も博物館も museum を使います。美術館＝"museum of art" "art museum"、歴史博物館＝"museum of history" "history museum"、科学博物館＝"museum of science" "science museum" のように使い分けます。

見ているだけなんです。ありがとう。

I'm just looking. Thanks.
アィム　ジャス(ト)　ルウーキング　　セアーンクス

孫息子へのお土産のTシャツを探しています。

※孫娘は **grand daughter**
グレアーン(ド)　　ドオータア

I am looking for a T-shirt for my grandson.
アィアム　　ルウーキング　　フォア　ティーシャアーツ　フォ　マィ　グレアーン(ド)サアーン

これの黒色はありますか？

Do you have this in black?
ドゥユ　　ヘアーヴ　　ディスィン　　ブレアーク

これのSサイズはありますか？

Do you have this in small?
ドゥユ　　ヘアーヴ　　ディスィン　　スモオーォ

レジはどちらですか？

Where is the cash register?
ウエーァイズ　　ダ　　ケアーシ　レエージャスタァ

これと同じものを5つほしいのですが。

I would like five of the same ones.
アィ　　ウゥ(ド)　ラアーィ(ク)フアーィヴァヴ　ダ　セエーィム　ワアーンヅ

これを試着できますか？

Can I try this on?

キャナアィ　チュラアーィ ディス　アーン

このクリームはオーガニックのものですか？

Is this cream organic?

イズ　ディス　　クリィーム　オォゲアーニィッ（ク）

おつりの金額を間違えていませんか？

Haven't you made a mistake

ヘアーヴントユウ　　　メエーィラァ　　ミステエーィ（ク）

in the amount of change?

イン　　ディ　　アマアーゥンタヴ　　チエーィンジ

このクレジットカードは使えますか？

Do you accept this credit card?

ドゥユ　　アクセエー（プ）（ト）ディス　クレーディッ（ト）カアーァド

この香水はよい香りがしますね。新作ですか？

This perfume smells good. Is it new?

ディス　　パァフュウーム　　スメエーォズ　　グゥード　　イズィ（ト）ニュー

このチョコレートの詰め合わせを10個ください。

I would like 10 of these assorted chocolates.

アィ　　ウゥ（ド）　ラアーィ（ク）テエーンナヴ　デイーズ　アソオーォティ（ド）　　チャアーカラッツ

ホテルに届けてもらえますか？

Can you deliver them to my hotel?

キャニュ　　　デリイーヴァ　　　デム　　トゥ　マィ　ホゥテエーョ

お勧めがありましたら、教えてください。

If you have any recommendations, please let

イフユ　　　ヘアーヴェニィ　　　　　レエーコメンデエーィシュンヅ　　　　プリイーズ　　レエー(ト)

me know.

ミィ　　　ノオーゥ

誰かのためにお土産を選ぶのは楽しいですよね？　ショッピングを楽しむために、色々なパターンのフレーズを覚えておくとよいと思います。余裕があったら、"If I buy three of them, would you give me a discount ?"（これを3個買ったら、割引してくれますか？）などの値段交渉をしても良いと思います。

153

悪寒がするのですが、病院への行き方を教えてくれませんか？

I have a chill. Can you tell me how to get to
アィ　ヘアーヴァ　チイーヨ　　　キャニュ　　テエーヨ　ミィ　ハアーゥ　トゥ　ゲエー(ト)トゥ

the hospital?
ダ　　ハアースピロ

救急車を呼んでください。

Please call an ambulance.
プリイーズ　　コオーラァン　　エアームビュランツ

友人が怪我をしています。

My friend is injured.
マィ　　フレエーンディズ　　イーンジャァド

商品を落としてしまいました。

I have dropped the product.
アィ　　ハヴ　　ジュラアー(プ)(ト)　　ダ　　プラアーダ(ク)ト

154

警察を呼んでください。

Please call the police.
プリイーズ　コオーォ　ダ　ポリイース

パスポートと財布を盗まれてしまいました。

My passport and wallet have been stolen.
マィ　ペアースポオーォタン　ウワーレッ（ト）　ハヴ　ビン　ストオーゥルン

道に迷ってしまったようです。

It seems that I am lost.
イッ（ト）スイームズ　ダライアム　ラァースト

ここから一番近い警察署はどこですか？

Where is the closest police station from here?
ウエーァ　イズ　ダ　クロオーゥセス（ト）ポリイース　ステエーィシュン　フラム　ヒイーア

助けて !!　エレベーターに閉じ込められました !

Help me! I'm stuck in the elevator!
ヘエーョ（ブ）　ミィ　アィム　スタアーキィンディ　エーレヴェイタァ

日本領事館の電話番号を教えてくださいませんか？

Can you tell me the phone number of the
キャニュ　　テエーョ　ミィ　　ダ　　フオーゥン　　ナアーンバァ　　ァヴダ

Japanese consulate?
ジェアーパニイーズ　　カアーンサラト

詐欺に遭いました。

I got scammed.
ァィ　ガアー(ト)　スケアームド

昨日飲み屋でぼったくられました。

I was ripped off at a bar yesterday.
ァィ　ワズ　　リィー(プ)タアーファラ　バアーァ　イエースタデエーィ

ひったくりに遭いました。鞄とジャケットを盗られました。

I've been robbed. My bag and jacket were
ァィヴ　　ビン　　ラアーブド　　マィ　　ベアーガァン　　ジェアーキッ(ト)　ワァ

snatched from me.
スネアーチ(ト)　　フラム　　ミィ

レンタカーを運転中に事故を起こしました。

I had an accident while driving a rental car.
ァィ　ヘアーダァン　　エアークサダント　　ワイヨ　　ジュラアーィヴィングァレエーントオ　カアーァ

※孫娘は **grand daughter**
グレアーン（ド）　ドオータア

大変です！　孫息子が迷子になりました！！

Oh, my God! My grandson is lost!!
オーゥ　マィ　ガアード　マィ　グレアーン（ド）サアーンニズ ラアースト

日本語がわかるスタッフのいる病院はどこにありますか？

Where can I find a hospital with staff who
ウエーァ　キャナィ　フアーィンダァ　ハアースピロ　ウィス　ステアーフ　フゥ

understand Japanese?
アーンダァステアーン（ド）　ジェアーパニイーズ

充電器を売っているお店はこの近くにありますか？

Is there a store near here that sells a charger?
イズ　デァァ　ストーァ　ニイア　ヒィア　ダッ（ト）　セエーョズァ　チャアーアジ

持病の薬を日本から持ってくるのを忘れました。

I forgot to bring the medicine for my

アィ フォガアー（ト） トゥ ブリイーング ダ メエーディスィン フォ マィ

chronic illness from Japan.

クラアーニィ（ク） イーヨネス フラム ジェペアーン

薬を手に入れる方法はありますか？

Is there any way I can get the medicine?

イズ デァ エーニィ ウエーィ アィ キャン ゲエー（ト）ダ メエーディスィン

ワンポイント解説

旅行にはトラブルがつきものですよね。特に持病やアレルギーのある方の場合、自分の持病やアレルギーのことや必要な薬などについて少しでも相手に伝えられるようにしておくと良いと思います。その際に注意すべきなのは、叩きを意識して、相手にわかりやすい英語を話すことです。発音は完璧でなくても相手には十分伝わりますが、叩きが弱くなって日本語発音になると英語が非常に伝わりにくくなるので、是非叩きを意識して音読練習をしてみてください。

■コ■ラ■ム　生徒さんとのエピソード③

　60代の女性Cさんは、英語が好きで昔から英会話教室や英語の塾などに通って英語を勉強していたのですが、全く英語力が上がらなかったそうです。

　特に英語の聞き取りが苦手だったそうで、自分は耳が悪くて英語を聞き取る能力がないと思っていたそうです。

　その方も私の発音教室をみつけてオンライン（Skype）でレッスンを開始しました。1ヵ月ほど発音レッスンをしたところ、Cさんからレッスン時間の変更のメールが来ました。

　そのメールの最後の部分に「最近はボイスオブアメリカというニュースの英語がゆっくり聞こえるようになりました」と書いてありました。

　1ヵ月前は全く英語が聞き取れないと悩んでいたのに、わずか1ヵ月で英語がゆっくり聞こえるほど変化したのです。

　このような例は他にも数え切れないほどありますが、英語が通じない、聞き取れないというのは能力の問題ではなく、実は間違った発音で練習していたためだった、というのがこの例からもわかると思います。

〈著者紹介〉

杉本正宣（すぎもと・ただのり）

ICU（国際基督教大学）教養学部英語学科卒業。大手外資系企業で就業後、東銀座に開設したスギーズ Jr. 英語発音教室、のちの株式会社スギーズ英語発音教育研究所の代表となる。大手企業の役員、会社社長から大学教授、医師、中学生、70歳以上のシニア層まで、これまで1,200名以上の方を指導し、その中で誰がやっても成果が得られるゆっくりていねい音読法を開発する。ホームページ https://sugis.co.jp/

装幀：村田　隆（bluestone）
本文組版：朝日メディアインターナショナル株式会社
イラスト：渡邉美里
音声収録協力：ELEC
　　　　　　　Daniel Duncan
　　　　　　　スギーズ英語発音教育研究所

ゆっくりていねいなCD付
**60歳からのカタカナでも
ネイティブにいちばん通じる英会話**

2021年11月9日　第1版第1刷発行
2023年3月29日　第1版第2刷発行

著　者　杉本正宣
発行者　村上雅基
発行所　株式会社PHP研究所
　　　　京都本部　〒601-8411　京都市南区西九条北ノ内町11
　　　　〔内容のお問い合わせは〕教育出版部 ☎ 075-681-8732
　　　　〔購入のお問い合わせは〕普及グループ ☎ 075-681-8818
印刷所　図書印刷株式会社